Das Buch

Er wollte doch nur Auto fahren so wie sonst auch immer. Nur ohne Führerschein!

In einen Zeitraum von über zehn Jahren, missbrauchte der Autor das System auf Kosten anderer. Er gefährdete dabei nicht nur den Straßenverkehr, sondern auch seine Existenz.
Wie man zu einem „Skrupellosen" wird und wie man sich zurück ins Leben kämpft, erzählt Oliver Höhn mit einem emotional, alkoholgetränkten Einblick in sein Leben.

Kleiner Unfall, große Wirkung. Seit diesem Zeitpunkt musste er sich mit den Dämonen seiner der Vergangenheit auseinander setzen um die schwierigste Aufgabe seines Lebens zu meistern. Eine MPU bestehen.

Der Idioten getestete berichtet, wie man sich auf diese Prüfung vorbereitet, und welche emotionale Odyssee der Autor hinter sich bringen musste, um diesen Tag mit Anstand und Würde zu überstehen.

Ein Unterhaltsamer Einblick in den
„Werdegang der Schwächen"
bei dem gelacht und geweint werden darf.

Oliver Höhn

Auf die
Fresse!
Fertig! Los!

Die MPU aus der Sicht eines Idioten.

Ein autobiografisches Sachbuch

tredition Verlag, Hamburg

www.tredition.de

Bibliografische Informationen der Deutschen Nationalbibliothek: Die Deutsche Nationalbibliothek verzeichnet diese Publikation in der Deutschen Nationalbibliografie; detaillierte bibliografische Daten sind im Internet über: http://dnb.d-nb.de abrufbar

© 2017 Oliver Höhn

Vollständige Taschenbuchausgabe

Auflage 1

Verlag: tredition GmbH, Hamburg

Umschlaggestaltung: Oliver Höhn
Satz / Layout: Oliver Höhn
Lektorat: Lückert Connection

Druck / Bindung: im Auftrag tredition Verlag, Hamburg

Printed in Germany

ISBN: Paperback: 978-3-7439-0782-9
ISBN: e-Book: 978-3-7439-0783-6

Inhaltsverzeichnis

Für Julia

Lily und Lennard.

Ihr seid mein großes Glück!

Das Vorwort

Saufen macht frei, besonders von Hemmungen. Man kann es häufig beobachten. Besonders in Kneipen, auf Musikfestivals, Jahrmärkten und in der Schinkenstrasse auf Mallorca.

Saufen ist Volkssport in Deutschland. Eng verknüpft mit vielen anderen Sportarten, zum Beispiel, Autofahren. Autofahren ist „Des Deutschen liebstes Ding". Jeder will es und die Meisten machen es. Ab dem 18. Lebensjahr ist es möglich, mit einem frisch erworbenen Führerschein. (mittlerweile mit 17 in Begleitung)

Saufen und Autofahren wird in Deutschland jährlich öfter miteinander kombiniert als die Gewinnchancen beim Lotto zu gewinnen.

Die Dunkelziffer von ungeahndeten Alkoholfahrten liegt bei kaum zu fassenden 90 Millionen im Jahr. 150000 Alkoholfahrten werden jährlich registriert. Nur jede 600. Alkoholfahrt wird entdeckt. 115000 Autofahrer werden jedes Jahr zu einer MPU verknackt. Einer davon war ich.
Ich hab aber auch alles dafür getan. Gleich drei Mal habe ich die Anmeldegebühr dafür bezahlt. Letzten Endes hat es sich gelohnt, obwohl ich insgesamt zehn Jahre gebraucht habe und zwischenzeitlich immer weiter Auto und andere Fahrzeuge gefahren bin.

Dies ist natürlich nicht unentdeckt geblieben, ich bin sogar relativ regelmäßig von der Polizei erwischt worden. Das hat mich dann immer eine Strafe und eine Verlängerung der

Sperrfrist gekostet. Ich dachte ja, dass ich nach zehn Jahren meinen Lappen einfach neu machen könne. Was man nicht alles tut um sein Halbwissen zu nähren. Was man nicht alles versucht um eine MPU zu vermeiden. Selbst als relativ intelligenter Mensch kann ich im Nachhinein kaum glauben, wozu ich fähig gewesen bin um meinem Ego Futter zu geben.

Hauptsache die anderen sind Schuld und, wieso sollte ich ein Alkoholproblem haben. Nur weil ich öfter besoffen als nüchtern Auto gefahren bin? Kann doch nicht sein!

Ein Leugner vor dem Herrn. Das war ich. Bis ich eines Tages, es war der 22.7.2013, mit etwas bekannt gemacht wurde, welches ich schon viel früher hätte kennenlernen sollen. Meinem Schicksal. Es zeigte mir an diesem Tag, dass ich der blödeste und erbärmlichste Sohn, Ehemann und Vater bin, den ich mir vorstellen konnte. Der neue Blick auf mein Dasein hat dann endlich das bewirkt, was ich heute als „Metamorphose" bezeichne.

Die „Metamorphose" hat so gravierende Veränderungen meines Wesens und Charakters hervor gerufen, dass ich heute darüber schreiben kann. Leugnen war nämlich mein Spezialgebiet. Leugnen ist leicht. Die Wahrheit wiegt schwer.

Mein Leben ist kein Aussergewöhnliches. Genau aus diesem Grund ist es mir wichtig, das ich es in Teilen niederschreibe. Denn das „normale" Leben hat mich dazu verleitet mich falsch zu verhalten. Falsches Verhalten gibt es täglich auf der Welt. Sekündlich wird falsches Verhalten bestraft. So wie mein Verhalten bestraft worden ist. Ich unterscheide mich nicht von anderen Menschen die sich falsch verhalten. Die Tragweite des Verhaltens ist auch nicht aussergewöhnlich.

Eben dies ist es welches so eklatant ist. Wie die Dinge so kommen konnten wie sie kamen und warum ich trotz der Menge meiner Fehler doch noch ein vernünftiger Mensch werden konnte, erzähle ich jetzt einfach mal. Vielleicht bringt es Euch ja was.

Dieses Buch besteht quasi aus zwei Teilen. Der erste Teil erzählt davon wie Man ein Idiot wird. Der zweite Teil berichtet meine Erlebnisse während der MPU und von dem wieder-erlangen meines Führerscheines.

Der Anfang

Ich habe bisher drei Mal die Gelegenheit gehabt eine MPU durchlaufen zu dürfen. Diese Aussage an sich, ist inhaltlich schon sehr dämlich, aber es war jedes Mal ein Ereignis.

Die Tatsache, dass man sich an einem solchen Tag vorkommt, als wäre man ein Schwerverbrecher, der nach der Untersuchung gesagt bekommt, ob er in den Todestrakt verlegt wird oder nur in den Steinbruch, ist da zweitrangig. Denn die Wahrheit ist, wenn man erst einmal dazu verdonnert wurde eine MPU zu machen, dann hat man ein Verbrechen begangen nicht nur an sich selbst.

Warum habe ich mir die MPU überhaupt verdient? Die Frage ist leicht zu beantworten, ich hatte 1,86 Promille und bin vom Hüter des Gesetztes nach einer fünfzig Sekunden Autofahrt, wenn man das so bezeichnen kann, freundlich gestoppt worden.

Da ich so betrunken war, dass ich nicht auf die Frage antworten konnte, ob ich getrunken hatte, kotzte ich dem Polizisten lieber vor die Füsse.

Auf der Polizeiwache bin ich auf einem Stuhl, auf dem man nicht einschlafen kann, eingeschlafen. Ich dachte mir wahrscheinlich, dass ich so besser auf den Arzt warten kann als in dem vernebelten Bewusstsein, das ich wohl gerade der größte Blödmann auf der Wache sei.

Tja, dass ist jetzt vierzehn Jahre her und jetzt kommt der Hammer. Ich bin seitdem nicht einmal mehr alkoholisiert Auto gefahren. Nur noch nüchtern ohne Führerschein.

So, jetzt ist es raus. Was soll man dazu noch sagen. Ich habe verbrechen begangen. Nicht nur an mir, sondern auch an unserer Gesellschaft. Ich bin der Alptraum des Verkehrsteilnehmers. Ich bin der Alptraum eines Jeden, der sich irgendwie auf den Straßen dieser Welt bewegt und darauf hofft das die Verkehrsregeln so einigermaßen eingehalten werden.

Das Interessante ist, dass ich ohne jede Spur von Reue über zehn Jahre lang ohne Lappen die Straßen unsicher gemacht habe, vollkommen skrupellos. Und das als so genannter, treu sorgender Familienvater und Ehemann.

Wie das geht? Alles geht, wenn man nur will. Und damit wären wir wieder beim Anfang dieser Geschichte. Ich möchte hier erzählen, wie man sich ändern kann. Das man tatsächlich vom Saulus zum Paulus werden kann. Ein vollständiges Mitglied unserer Gesellschaft.

MPU, oh Gott, oh nein, das schaffe ich niemals, ich bin nicht... ich kann nicht... Und so weiter und so fort. Bra Bra Bra....

Ja, das Gute kann ich schon mal vorab berichten. Wenn man sich nicht wirklich auf eine MPU Prüfung vorbereitet, dann fällt man durch.

Ist man sich aber im Klaren darüber, was von einem verlangt wird, um eine MPU zu bestehen, dann ist es ein Kinderspiel.

Es stellt sich die Frage, was ist man bereit dafür zu tun ein "vollwertiges Mitglied" unserer Verkehrsgesellschaft zu sein oder wieder zu werden.

Wie findet man heraus, ob man bereit ist, sich seiner Vergangenheit zu stellen? Diese Frage ist wichtig, denn die wenigsten Autosünder sehen die Schuld bei sich oder dem eigenen Handeln. Grundsätzlich gilt: „Der Andere ist

Schuld." Ich persönlich habe eine ganze Dekade nicht mal den kleinen Finger dafür gerührt. Ob mir das geholfen hat? Nein, ich bin fünf Mal von der Staatsanwaltshaft Wuppertal wegen Fahrens ohne Führerschein verknackt worden. Zuletzt wurde eine Gefängnisstrafe auf Bewährung gefordert.

Ohhhhh, da stand dann der kleine Oli da, Mitglied einer angesehenen Familie, in einem kleinen Städtchen und hat sich blamiert bis auf die Knochen. Vorbestraft? Das kann nicht sein, ich doch nicht.

Ich hab doch immer die Strafen brav bezahlt. Insgesamt bestimmt zehntausend Euro, plus Rechtsanwaltskosten natürlich.

„Dumm ist der, der Dummes tut"
(Forrest Gump)

So genug gejammert, jetzt geht es ans Eingemachte. Was passiert in einer MPU und was ist zu beachten? Der Ablauf an sich ist gut im Internet zu recherchieren. Es kommt auch darauf an, ob man ein Alkohol- Drogen- oder andere Probleme hat. Ein Nachweisen der Abstinenz, durch regelmäßige Blutuntersuchungen, Urinproben oder ähnliches sind gerne gesehen.

Das ist alles machbar, da hier physische Dinge des Lebens betroffen sind. Wenn man die körperlichen Anforderungen nicht bewältigen kann, wie soll man dann die Psychischen lösen. Ja, man kann versuchen zu tricksen und zu pfuschen oder Nachweise zu manipulieren. Alles ist möglich, aber es ist sehr schwer oder fast unmöglich, einen Verkehrspsychologen, der für eine MPU-Gesellschaft tätig ist, zu täuschen.

Glaubt mir, ich habe es versucht. Es geht nicht.

Aus diesem Grund ist es wichtig, dass die richtige Einstellung zu seiner Problematik zu finden. Die Einstellung, die mich zum Beispiel dazu bewogen hat, mein Leben zu ändern.

Ich wünsche Euch viel Vergnügen und Durchhalte vermögen bei dem Studium dieses Buches. Ich kann Euch mit diesem Buch keine Garantie dafür geben, dass ihr eine MPU besteht, aber vielleicht kann es euch dabei unterstützen, dass Ihr in Zukunft besser reflektiert und bewusster wahrnehmt, damit ihr einen erfolgreichen Rückweg aus der Twilightzone, in die Welt des Lichtes findet. Fangen wir also vorne an.

Die Familie

Ich hatte mich schon immer gewundert, warum die Menschen sehr unterschiedlich auf mich reagiert haben. Viele hielten mich für arrogant, einige für unterhaltsam, wenige für ehrlich, dabei habe ich immer versucht mich anzupassen, an die Umstände und Gegebenheiten, die mein Umfeld geschaffen hat. Leider stellte sich am Ende des Tages meistens heraus, dass ich irgendwie voll „verkackt" hatte und ich verstand nie wieso. Ich habe auch nie ein ehrliches Feedback bekommen oder vielleicht hatte ich auch keines verdient.

Jahre später, durch meine zweite Frau Liz, habe ich erst begriffen, was ich für einen Eindruck machte und wie meine Mitmenschen, teilweise durch meine Person und mein Verhalten, zu leiden hatten. Meine Egozentrik die meisten in meiner Umgebung gespürt, nur mir nicht. Durch diesen kleinen „Charakterfehler", habe ich meine Umgebung eher gespiegelt oder kompensiert und mich nicht angepasst. Das führte dann auch zum Eintreten mancher Türen, hinter denen sich große Fettnäpfchen befanden.

Ich komme aus einer Familie mit jüdischem Ursprung. Im „Dritten Reich" war das um es mal salopp zu sagen, eine suboptimale Begebenheit. Meine Urgroßmutter Jeanette wurde vom Hausmeister des heimatlichen Rathauses an die Nazis verraten und vom Schlachthof Düsseldorf nach Theresienstadt deportiert. Sie war eine Frau mit großem Herzen und half im Krieg Menschen, die noch mehr verloren hatten als unsere Familie. Schon aus diesem einen Grund, ist der Verrat unaussprechlich.

Mein Großonkel und mein Großvater waren Unternehmer in der Reinigungsmittel Industrie Sie haben in den zwanziger Jahren, auf den Kochplatten meiner Urgroßmutter angefangen Polierpasten zu kochen und diese in alle Welt zu vertreiben. Meine Großonkel und mein Großvater waren eine verschworene Gemeinschaft und sehr erfolgreich in dem was sie taten. Unter anderem haben sie „Ako Pads", Venol und Raumsprays wie LukiLuft entwickelt.

Ich kann mich noch erinnern, das „Ako Pads" in einem Film mit Jean-Paul Belmondo erwähnt wurde, als Adolf Hitler in einer Szene am Obersalzberg für „Ako Pads" warb.

O-Ton: „Ako Pads gehören in jeden deutschen Haushalt, denn nur Ako Pads machen deutsche Töpfe richtig sauber".

Als ich damals mit meinem Bruder den Film im Fernsehen sah, konnte ich mich kaum halten vor Lachen und Bewunderung. Ich gehörte, so dachte ich, zu der bekannten und berühmten Familie. Was sich da so lustig widerspiegelte war in der Realität ein Desaster.

Nach der Deportation ihrer Mutter, haben mein Großonkel und mein Großvater ein Jahr lang versucht sie aus dem Konzentrationslager Theresienstadt freizukaufen. Bis sie schließlich mit einer Million Reichsmark im Koffer nach Berlin gefahren sind, um ihr Glück zu versuchen. Untröstlicher weise war meine Urgroßmutter zu diesem Zeitpunkt schon tot, sie hatte den Transport in den Deportationszügen nur knapp überlebt, die unmenschliche Haft in dem Konzentrationslager nicht. Diese Geschichte an sich ist schon ein ganzes Buch oder einen Film wert, denn wie meine Großmutter verraten wurde und welche guten Taten sie getan hat in unserer kleinen Stadt in den schweren Zeiten des dritten Reiches, ist wirklich erzählenswert.

Angetrieben von diesem großen Verlust, wurden meine Großonkel und Großvater sehr erfolgreich und entwickelten ein großes Ego. Mit eben diesem Ego ist mein Vater aufgewachsen, mein Bruder und ich ebenfalls.

Mein Vater erzählte mir einmal, dass er 1955, mit einem befreundeten Arbeitskollegen mit seinem VW Käfer nach Marseille gefahren sei um einen Freund aus der Fremdenlegion zu befreien.

Der Freund, der sich verpflichtet hatte, für Frankreich in Algerien Dienst zu tun, hatte sich von den Gesandten der Legion betrunken machen lassen und dann ohne sich im Klaren zu sein, den Vertrag unterschrieben.

Der Hilferuf kam per Telegramm bei meines Vaters Freund in Düsseldorf an mit der Bitte ihn da wieder herauszuholen.

In einer Nacht- und Nebelaktion fuhren mein Vater und sein Freund los nach Marseille. Sie warteten im Hafen bis es dunkel war, aßen Bouillabaisse und tranken sich Mut an.

Als es dunkel geworden war, schlichen sie sich mit einer Strickleiter zum Schiff der Fremdenlegion, welches am nächsten Morgen um vier Uhr morgens ablegen sollte. Der Kamerad, der befreit werden wollte, wartete an der Reling. Mein Vater warf die Strickleiter hoch über die Reling und der Fremdenlegionär, der keiner mehr sein wollte, konnte fliehen. Er hatte keinen Pass mehr. Das war in Frankreich kein Problem, aber wohl an der deutschen Grenze. Also mussten der Flüchtling und der Freund meines Vaters bis zur grünen Grenze gebracht werden. Mein Vater fuhr dann mit seinem Käfer offiziell über die Grenze. Sie trafen sich später an einem ausgemachten Treffpunkt. Alles war gut gegangen.

Mit solchen Genen bin also auch ich ausgestattet, was nicht immer von Vorteil ist. An Mumm und Ego hat es in der Familie also nie gemangelt im Gegenteil.

Das sehe ich auch heute, wenn ich meinen Sohn betrachte, der ein ungesund großes Ego entwickelt.

Ich weiß, dass ich hier gefragt bin, also versuche ich ihm so liebevoll wie möglich, klar zu machen, daß sich die Sonne nicht um die Erde dreht, sondern umgekehrt.

Das Rad

In meiner Kindheit, war ich an einem herrlichen Sommerferien Tag mit meinem Freund Markus in einem Naherholungsgebiet meiner Heimatstadt unterwegs. Als 1967er Jahrgang, bin ich als Kind noch so aufgewachsen, dass man in den Ferien, morgens das Haus verließ und abends, oder zu einer vereinbarten Uhrzeit wieder zurück war. Das heißt, meine vertrauensvolle Mutter hat mich den lieben langen Tag nicht zu Gesicht bekommen.

Wir fuhren mit unseren Fahrrädern durch den Wald und fanden, oh welch großes Glück, ein Rennrad. Es war so gut wie neu, wunderschön rot und hatte eine Zehngangschaltung. Es musste jemand hier extra abgeschlossen und stehen gelassen haben. Der Besitzer hatte es bestimmt auch schon total vergessen, er wollte es bestimmt nicht mehr haben, deshalb stand es jetzt hier, für uns zur Demontage und Abholung bereit. Mein Freund Markus, dem ich unterbewusst eine gewisse kriminelle Energie zuschrieb, hatte die glorreiche Idee, das Fahrrad zu teilen, einer sollte die vordere Hälfte bekommen und der andere, das, was übrig bleibt. Jetzt hatten wir aber nur einen "Knochen" dabei, die Leser, die aus meiner Generation kommen, wissen, was ich meine, (die, die es nicht wissen, bitte googlen), so dass wir zwar anfangen konnten das Fahrrad auseinander zu schrauben. Da es ja geteilt werden sollte, standen wir vor einer schier unlösbaren Aufgabe. Was war mit dem Rahmen? Der war ja mit dem Schloss an den Laternenpfahl festgeschlossen. Ich hatte eine blendende Idee, wie ich fand und schlug vor, das wir schon mal die abgebauten Teile nach Hause bringen sollten.

Später kamen wir dann mit dem Seitenschneider aus Papas Werkzeugkiste wieder zum Tatort zurück und knackten das Schloss. Markus fand die Idee super und so brachte ich erst Markus nach Hause und ging dann den letzten Rest des Weges mit meiner Beute Richtung Heimat. Der Weg war weit. Wir konnten nicht mit unseren Fahrrädern fahren denn das demontierte Rad musste getragen werden. So schoben wir unsere Räder und trugen unseren Fund. Langsam wurde es dunkel, im Sommer bedeutete das, dass es schon spät war, zu spät um draußen zu sein für einen achtjährigen Jungen, der sich den ganzen Tag nicht ein Mal zu Hause hatte blicken lassen.

Das war mir natürlich nicht bewusst, als ich mühsam den ersten Teil meines neu gefundenen Fahrrads durch den Wald und permanent bergauf über eine Strecke von etwa drei Kilometern nach Hause transportierte.

Ich verstaute das halbe Rad in unserem Schuppen im Garten. Als ich klingelte und meine Mutter mir die Türe aufmachte, wurde mir im wahrsten Sinne des Wortes schlagartig klar, dass irgendetwas schief gegangen war. Den Ausdruck in ihrem Gesicht werde ich nie vergessen, blass und krank vor Sorge, mit einem Teppichklopfer bewaffnet, zog sie mich durch die Türe ins Haus.

Mit wilden Bewegungen des Teppichklopfers und wütenden Erklärungen, dass die Polizei mich suchen würde und mein Vater die ganze Stadt absuche, um mich in irgendeinem Gestrüpp misshandelt oder tot zu finden und was ich mir dabei überhaupt gedacht hätte und überhaupt:" Wieso kommt du jetzt erst nach Hause", versuchte sie mich zu schlagen. Ich muss dazu noch sagen, dass ich sonst nie geschlagen wurde. Niemals.

Ich rannte schnell die Treppe hinauf in mein Zimmer. Meine Mutter schrie mir noch hinterher, dass ich mich auf was gefasst machen könne, wenn erst mein Vater nach Hause käme. Ich kam mir vor wie Michel aus Lönneberga, nur dass ich den Schuppen, in dem ich nicht war, nicht abschließen konnte. Scheiße dachte ich, konnte es sein, dass das Argument, ich sei mit dem Finden und Auseinander nehmen eines Fahrrades beschäftigt gewesen, nicht wirklich zog?

Meine Eltern haben mich immer sehr geliebt, auch wenn ich wirklich schwierig und sehr dumm handeln und stur sein konnte, wie mir später berichtet wurde.

Nach etwa dreißig Minuten kam dann mein Vater nach Hause. Ich hatte berechtigter weise Angst. Mein Vater war so wie meine Mutter, ausser sich vor sorge, die aber jetzt einer gewissen Wut gewichen war. Ich stand im Wohnzimmer und musste mir eine ordentliche Schimpftriade anhören. Ich bekam zwei saftige Ohrfeigen, wurde bedroht, ich würde in ein Internat geschickt werden. Es gab Verbote, an alle kann ich mich nicht mehr erinnern es waren viele.

Ich habe das mit einem Tunnelblick über mich ergehen lassen, in den ich mich versetzte um mich aus der Verantwortung zu ziehen. Diesen Blick hasste mein Vater und er provozierte ihn noch mehr. Von dem Fahrrad, dass ich in unserem Schuppen im Garten versteckt hatte, erzählte ich nichts, sonst wäre ja alles umsonst gewesen. Das hatte leider nichts genutzt. Am Ende der Schreierei kam im ganz normalen Ton aus meines Vaters Mund: "und das Fahrrad, das bringst Du wieder da hin, wo du es her hast und du wirst es wieder so zusammenbauen, wie du es vorgefunden hast. Hast Du das verstanden?" Dann nahm mein Vater mich in die Arme und drückte mich so fest das ich dachte es knackt in meinem Körper. Alle waren froh das es vorbei war. Aber ein Gedanke in mir war auch „Alles für die Katz!".

Mein Bruder, der vier Jahre älter ist als ich, war sehr stolz auf mich, dass ich als Erster in unserer Familie Ohrfeigen bekommen hatte. Ich will mit dieser Geschichte sagen, ich habe schon als Kind negative Dinge in Kauf genommen, um etwas, für mich wichtiges, zu erreichen, auch wenn ich am Ende versagt habe.

Die Schule

Im Jahr der Fahrradaktion bin ich in der dritten Klasse sitzen geblieben. Mein Klassenlehrer, Herr Honecker, der auch noch Rektor meiner Schule war, hatte mir dreizehn Sechsen in Diktaten eingeschenkt. Ich glaube, dass er es als Herausforderung empfunden hat, mich mit allen Regeln der grammatikalischen Kunst zu quälen und fertig zu machen. Immer, wenn etwas an die Tafel geschrieben werden sollte, es meldeten sich sofort genügend andere Klassenkameraden, war ich derjenige, der an die Tafel durfte, obwohl ich meine beiden Arme auf dem Schreibtisch fest getackert hatte.

In diesem Schuljahr hatten wir nur einen Aufsatz geschrieben. Es war eine Vier geworden. Das habe ich bis heute nicht verstanden. Ich wusste nicht, was traumatischer war, die Sechsen oder die eine Vier. Herrn Honecker hatte ich verflucht und er mich, glaubte ich. Ich hasste die Schule, es gab nichts, was ich dort schön fand. Bis heute war das ein zwölf Jahre lang andauernder Albtraum für mich.

Ihr könnt euch vielleicht nicht vorstellen wie es ist „im Krieg" zu sein. Ich war es, für jeden Tag den ich in die Schule gehen musste. Ich bin ein Spätzünder. Wenn ich mit Zwanzig eingeschult worden wäre, hätte ich ein gutes Abitur aus der Hüfte geschossen, aber so war es eine eher unterdurchschnittliche mittlere Reife.

Die Bombe

Als Kind wird man von seinen Eltern „fremdbestimmt". Mein Sohn würde sich als „willenloser Sklave" bezeichnen, wenn man ihn fragen würde. Der Vorteil ist, man wird daran gehindert auf eine heiße Herdplatte zu fassen, weil es eine üble Verbrennung dritten Grades nach sich ziehen könnte. Eine Hauttransplantation im Krankenhaus inklusive. Für die Entwicklung eines Kindes ist es aber auch sehr wichtig, dass es vieles selbst ausprobiert, zum Beispiel, wie man aus einer normalen Glühbirne eine Bombe baut. Auch hier kann man als Kind mit den Konsequenzen klar kommen, auch wenn man die als Steppke noch nicht so richtig einschätzen kann.

Bei mir war das so, dass die erste Glühbirnenbombe, die ich gebaut hatte, nach dem ich sie in die Leselampe meines Schreibtisches schraubte, eine im wahrsten Sinne des Wortes blitzartige Erleuchtung verschaffte. Nach dem Anknipsen des Lichtschalters flog mir die Lampe inklusive Gestänge, heftig um die Ohren. Ich konnte drei Tage lang nichts hören und meine Augenbrauen waren verschwunden. Mein Zimmer hatte auch etwas abbekommen. Das Haus, welches mein Großvater gebaut hatte, stand noch, so konnte meine Mutter die Geschehnisse vor meinem Vater verheimlichen, welches sie öfter tat. Wir beide waren mit dem Schrecken davon gekommen. In Zukunft galt, Bomben nur noch unter freiem Himmel testen!

Die Herausforderung

Trotz meiner Freiheiten als Kind wurde ich nie das Gefühl los, dass ich das zu tun hatte, was meine Eltern von mir verlangten. Vorschriften sind eigentlich scheisse, denn mit Vorschriften und Regeln geht ein Großteil des Entwicklungspotentiales des Kindes den Bach runter.

Besonders wichtig ist es, seine Stärken zu fördern und Schwächen zu tolerieren. Soll heissen, dass es einem Kind erlaubt sein sollte, diese Schwächen auch zu zeigen. Denn das wäre wiederum eine große Stärke. Ich wollte schon früh immer alles können und auch die Dinge tun, die mein Vater und mein Bruder taten.

Als mein Vater anfing Tennis zu spielen, ich war dreizehn Jahre alt, dick und meine Bronchien pfiffen, wenn ich mich schneller als Schrittgeschwindigkeit auf meinen Füßen bewegte. Mein Bruder durfte Tennis spielen, ich aber nicht. „Du bist noch zu klein und brauchst keine Trainerstunden, das lohnt sich nicht." Was für ein dämlicher Satz: Mein Vater hätte auch sagen können: „Du dicke Null, versuch erst mal ohne Asthmaspräääy länger als zwei Minuten geradeaus zu laufen!"Ich fühlte mich unglaublich ungerecht behandelt und verletzt. Ich wusste, dass ich das lernen könnte, jeder fängt ja mal klein an. Und überhaupt, wozu hat man denn sein Asthmaspray, wenn nicht zum Doping. Als Kind ist man phantasievoll und erfinderisch und zum Glück hatten wir in unmittelbarer Nähe unseres Elternhauses einen Garagenhof mit einer Hauswand, die das Zeug dazu hatte, eine Tenniswand zu sein.

Nach der Schule nahm ich mir heimlich den Tennisschläger meines Bruders und ein paar Bälle und ging zu meiner Wand um zu trainieren. Ich spielte, wenn es das Wetter zuließ, jeden Tag gegen meinen Gegner aus Stein und Mörtel. Klar war das keine Trainerstunde, aber ich wolle Tennis spielen und mir wurde klar, daß ich mir die Aufmerksamkeit meines Vaters erkämpfen musste. Ich wollte gesehen werden. Ich wollte nicht der kleine dicke Oli sein. Ich sehnte mich nach Wertschätzung von meinem Vater.

Diese Zeit an der Wand war prägend für mich. Als Lusche und kleiner Dicker musste ich doppelt so viel arbeiten, wie mein älterer, erstgeborener Bruder, der immer viel stärker im Fokus meines Vaters stand als ich.

Ich bin ein autodidaktisches Tennistalent und die Hartnäckigkeit wurde nach ein einiger Zeit belohnt. Zwischenzeitlich habe ich auch heimlich im Tennisclub mit anderen Kindern gespielt und meine Fertigkeiten vor meinem Vater wie meinem Bruder geheim gehalten. Nur meine Mutter wusste, dass ich mich im Tennis immer mehr verbesserte.

Wir fuhren, wie so oft, in unser Wochenendhaus in den Westerwald. In einem Club in der Nähe spielten mein Vater und mein Bruder bei einem Turnier mit. Ich spielte auf dem Abenteuerspielplatz in der Umgebung. Nachdem das Turnier zu Ende war, forderte ich meinen Bruder zu einem Match. Der sagte: „Klar, worum spielen wir?" Ich sagte: „Um die Ehre!" Wir gingen dann zum Platz, es waren noch einige Clubmitglieder auf der Anlage und verfolgten unser Match. Mein Bruder wunderte sich schon beim Einspielen daß ich den Ball wieder zurück über das Netz spielen konnte. Ich fokussierte mich auf mein Spiel. Ich durfte hier nicht versagen, das wäre mein moralisches Ende gewesen.

Mein Bruder gab ordentlich Gas, ließ mich laufen um mich auf meinen Platz zu setzen. Es kamen zwischen den Spielen immer mal wieder Gehässigkeiten von ihm, die meine körperliche Statur betrafen oder das unüberhörbare hohe Pfeifen meiner Bronchien.

Ich ließ mich davon nicht beeindrucken und blieb im Fokus. Ich wollte ja hier zeigen, was ich drauf hatte. Mein Bruder musste sich immer mehr strecken, um meine gespielten Bälle zu retournieren. Nach über einer Stunde, hatte ich zwar verloren, aber mit 3:6, 4:6 hatte ich mehr Spiele gewonnen als ihm lieb gewesen wäre. Mein Bruder kommentierte meinen Sieg mit: „Gut gespielt, Dicker."

Körperlich war ich total am Ende, konnte kaum noch stehen und bekam so gut wie keine Luft. Ich versuchte das so gut wie möglich zu vertuschen, in dem ich ein Handtuch vor mein Gesicht hielt. Einen Kreislaufkollaps konnte ich jetzt nicht brauchen, im Moment meines moralischen Triumphs Nach diesem Match bekam ich mehr Anerkennung und mein Vater nahm mich jetzt auch mehr mit in den Tennisclub. Mein Bruder hörte auf zu spielen und somit richtete sich der Fokus meins Vaters in dieser Sportart mehr auf mich.

Leider hat mein Vater, der ein guter Tennisspieler war, meine Entwicklung nicht wirklich verstanden und sah mich auf dem Tennisplatz als Konkurrent. Wenn wir miteinander spielten, übte er einen so hohen psychischen Druck auf mich aus, dass ich gegen ihn nicht gewinnen konnte, obwohl ich ihm spielerisch, technisch und konditionell, mit der Zeit, weit überlegen war. Das ging teilweise so weit, dass wenn er einen von mir gespielten Stopp-Ball nicht mehr erreichen konnte, er eine Verletzung vortäuschte und zurück an die Grundlinie humpelte, damit ich beim nächsten Aufschlag mehr Nachsicht walten lassen würde. Ich konnte mich gegen mein Unterbewusstsein nicht durchsetzen. Es kam häufig vor, das ich nach solchen Psycho-Kriegsspielen, schnell mal einen Doppelfehler machte. Das war grausam. Ich konnte nicht verstehen, warum mein Vater mir den Sieg nicht gönnen wollte oder konnte. Mit diesen Aktionen hat er mich geschwächt anstatt mich zu stärken.

Erst später habe ich verstanden, dass Tennis nicht nur Physis bedeutet, sondern auch eine starke Psyche nötig ist um schwierige Matches zu gewinnen. Ich musste also auch in meiner mentalen Stärke wachsen und das tat ich. Als ich meinen Vater, der immerhin 34 Jahre älter ist als ich, zum ersten Mal besiegte, war das ein großer Moment für mich.

Der „Kampf" hatte sich gelohnt und ich hatte mich für meine Konstanz und dem unbedingten Willen ein guter Tennisspieler zu werden, belohnt. Dass ich daraus eine Zeitlang Profit schlagen können würde, war mir zu dieser Zeit nicht klar. Das änderte sich bei der Bundeswehr.

Die Bundeswehr

Meine Mutter hat mein Leben in der Kindheit bestimmt. Als ich mit der Schule fertig war, ich war achtzehn Jahre alt und hatte die mittlere Reife so gerade geschafft, stand mein Wehrdienst vor der Türe. Ich wurde ein halbes Jahr vor meinem Einzug auf T1 gemustert. Ich hatte alles versucht um T5 zu bekommen. Hat nicht funktioniert.

Die liebe Mama sah ihre Chance und sagte dem kleinen „Fritz", das ist doch toll, dann hast du deinen Wehrdienst direkt hinter dir." Ich sagte, man könne auch verweigern und zu den „Johanniter" gehen, wie alle meine Freunde. Ach Quatsch meinte die Mama, das ist doch super beim Bund, am Ende des kalten Krieges.
Der kleine Oli, 1,86 cm, mittlerweile auf muskulösen 90 kg, musste also Soldat werden, weil seine Mutter meinte, der Herr Wörner, der damalige Verteidigungsminister, warte dringend auf mich. Da ich mich ja so hervorgetan hatte in der Vergangenheit, mit gutem Verhalten in der B Note, sollte ich doch jetzt mal los und das Land verteidigen. Ich glaube ja langsam, also während ich diese Zeilen schreibe, dass das die späte Rache für die Fahrradsache gewesen ist. Achtzehn Monate Bund in Flensburg und Rendsburg waren schon eine Ansage für den kleinen Oli, der in einer „rosa Wolke" aufgewachsen ist. Nach der Eingewöhnungszeit wusste ich schnell wie der Hase läuft und machte mir das System zunutze. Nach meiner Grundausbildung in Flensburg, bin ich nach Rendsburg, in die Eider-Kaserne versetzt worden. Ich hatte großes Heimweh, ließ es mir aber nicht anmerke. In

einer Testosteron gesteuerten Männergesellschaft ist das unpopulär.

Ich wurde dem Kompanietruppführer zugeteilt, Oberfeldwebel Schmidt. Schmidt war ein krasser Typ, der mich zur Einführung bei offener Bürotüre, erst mal so laut anschrie, weil meine Stiefel nicht so glänzten wie seine, dass meine Ohren sich in meinen Schädel vergraben wollten. Solchen Umgang war ich trotz meiner Grundausbildung nicht gewohnt und wollte kündigen. Nur kündigen kann man leider nicht bei der Bundeswehr, und ich stellte mich der Tatsache, dass ich mit diesem Typen die nächsten 15 Monate auskommen musste, egal wie.

Nachdem er mich so angebrüllt hatte dass der ganze Flur davon beschallt worden war und die Kameraden, die sich in dem selben befanden auch, schloss Schmidt die Türe und sagte in einem total freundlichen und entspannten Ton: „So, Junge jetzt kommt erst mal keiner und will etwas von Dir. Du musst wissen, die Position des Kompanietruppführer`s ist eine Schlüsselposition. Hier werden die Dienstpläne geschrieben. So weit man das sagen konnte wurden wir gute Kameraden.

Nachdem ich etwa eine Stunde lang in meine Aufgabe eingewiesen wurde, nämlich sämtliche Kompanie-Dienstpläne zu schreiben, wurde mir erst wirklich klar, dass ich eine wichtige Schlüsselfunktion hatte. Oberfeld Schmidt beschäftigte sich in der Zwischenzeit, also während des Dienstes mit dem Bau seines Hauses in der Nähe von Hamburg.

Er war ein lustiger Typ wie sich herausstellte und ich bekam ihn etwa ein Mal in der Woche zu Gesicht wenn er auf Staatskosten neue Baumaterialien bestellte. Nach drei

Wochen in meiner neuen Einheit checkte ich, dass ich zu den intelligenteren Menschen in meiner Einheit gehörte, der auch nach gut Dünken für die Unteroffiziere den Dienstplan schrieb. Da mir keiner Vorgaben machte und auch niemand kontrollierte, was ich tat, war ich schnell angekommen in meinem „Neuen Reich". Niemand beschwerte sich bei mir über die Dienstpläne. Im Gegenteil, die meisten hatten Wünsche für Ihre Dienste. Ich habe dann zum Beispiel Dienstnummern für kollektives Schwimmengehen erfunden, um dem Gang zum Schwimmbad eine Legitimation zu verschaffen. Wenn es regnete besorgte ich auch noch einen Bus für die Fahrt.

Der Spieß, also der Organisator der Kompanie, mochte mich gut leiden und war begeistert von der Kreativität die ich an den Tag legte, um die Truppe zu motivieren. Von dieser Zeit an, beackerte er mich, dass ich mich doch verpflichten sollte. In der Nato-Kaserne in der ich meinen Dienst tat, hat man erstaunliche Vorteile, Tennisplätze, zollfrei einkaufen, billig tanken und so weiter.In der Nato sind alle sehr entspannt miteinander und da ich ein ordentlicher Tennisspieler war, wurden auf dem Tennisplatz auch die Offiziere auf mich aufmerksam, zum Beispiel der Bataillonskommandeur.

Im Jahr 1986 hatte Boris Becker am 7. Juli zum zweiten Mal hintereinander das Finale von Wimbledon gewonnen. Wie eine unaufhaltsame Lawine rollte der Tennisboom über Deutschland und verschonte auch die Soldaten und Offiziere in den Kasernen nicht.

Der Bataillonskommandeur ist der Chef der gesamten Kaserne und hat so richtig was zu sagen. Als Erstes befahl er mir, mich täglich mit ihm auf dem Tennisplatz zu treffen, damit ich seine Rückhand zu neuer Stärke führen konnte.

Ich dachte, ich sei beim Bund und sollte, so wie meine Mutter mir gesagt hatte, das Land verteidigen.

Es sah aber eher so aus, als würde ich die Grundlinie des Tennisplatzes verteidigen. Wir trafen uns bis zu drei Mal in der Woche und standen immer zwei Stunden auf dem Platz. Ich war vor meiner Soldatenzeit schon fit, nun ich wurde immer fitter und auch besser. Da ich von Natur aus ein Mensch mit „pädagogischen" Fähigkeiten bin, mich gut verkaufen konnte und zu dieser Zeit auch noch sympathisch rüber kam, hatte ich schnell viele neue Bekannte im Kreise der Obersten und Generäle.

Der Kommandeur und ich wurden, trotz des Altersunterschiedes und des Ranges, ich war ja nur Gefreiter, gute Freunde. Er lernte von mir Tennis und ich was fürs Leben.

Oberfeldwebel Schmidt fand das nicht so lustig, weil er ja immer noch sein Haus baute und er jetzt wieder einen neuen Sklaven für sich einteilen musste. Er teilte mir per PostIt mit, wir sahen uns nur noch selten im Dienst, dass ich meinen Dienst zu verrichten hätte. Da ich diesem Auftrag aber nicht nachkommen würde, nicht so, wie er sich das vorstellte, solle ich doch erst mal den Führerschein Klasse 2 machen, damit ich auch mal einen LKW fahren könne. Hä? Ich hab den Zusammenhang nicht wirklich verstanden, da ich dann ja wieder woanders wäre, als in meinem Büro oder auf dem Platz. Sollte ich jetzt Bauschutt fahren?

Ich teilte meinem Kommandeur mit, dass ich jetzt Führerschein machen sollte, und der Kommandeur sagte: „Ja, ich weiss, kein Problem, Soldat!"

Ich wunderte mich etwas über die Aussage und ging dann um nächsten Termin zu der Bundeswehr eigenen Fahrschule.

Der Fahrschulleiter, ein Hauptmann, so um die 190 cm 120 Kilo, sei ein Schwein, ein Sadist und Psychopath, sagten die Kameraden, die diese Instanz schon durchlaufen hatten. Vor dem sollte man sich in Acht nehmen, was ich auch tat. Ich wollte nicht auffallen und machte mich klein. Die Fahrschulzeit, war, als ob man komplett aus dem normalen Dienst rausgerissen würde. Das frustrierte mich sehr. An Tennis war erst mal nicht zu denken.

Der Unterrichtsstoff war tot langweilig, besonders, wenn man gar keinen Führerschein Klasse 2 machen möchte. Aber danach wurde nicht gefragt.

Täglich kam auch der Adjutant des Sadisten in die Unterrichtsräume, es war der „Chubby", der Folterknecht. Er war darauf spezialisiert uns Unfallbilder zu zeigen. Enthauptete Köpfe, aufgeschlitzte Körper, amputierte Beine. Alles Verletzungen, bei denen angeblich die Unfallstelle nicht richtig abgesichert worden war. Ein Kamerad mit sensiblem Gemüt, kotzte auf seinen Tisch. Ich fragte, wie ich denn den abgetrennten Kopf ansprechen sollte um erste Hilfe zu leisten. Auch eine stabile Seitenlage schien mir schwierig. Ich hatte ein paar Lacher auf meiner Seite, der Folterknecht verzog keine Mine.Nach der ersten Woche rief mich der Fahrschulleiter zu sich. Ich hatte keine Ahnung warum und hatte Schiss, ich hätte eine zu große Schnauze gehabt. Mir schlotterten die Knie.

Nachdem ich mich, wie mir befohlen, pflichtbewusst gemeldet hatte, sagte der Sadist zu mir, ihm wäre zu Ohren gekommen, dass ich Tennis spielen würde. Ich sagte: „Ja, zur Zeit leider wenig" und wartete auf ein: „das ist jetzt ganz vorbei." Ich hörte aber nur ein: „gut, dann gehen wir nach dem Dienst mal auf den Platz, was?!"

Ich stand da wie Karl Arsch und dachte, wenn ich das verkacke, dann bekomme ich den Führerschein nie und werde die Heizdüse der Kompanie. Heizdüse ist ein anderes Wort für Idiot.

Wir trafen uns nach Dienst in der Tennishalle und ich fragte wie wir miteinander kommunizieren sollten. Er sagte: „Ausser Dienst kannst du mich Rolf nennen, Oli!" Rolf grinste mich an und schlug mir seine rechte Pranke auf die Schulter. Dann erst wurde mir klar, dass Rolf, der Fahrlehrer, überhaupt kein Sadist war, es wurde nur „getriggert" und gemunkelt, von einem zum anderen. Ich hatte auch noch nie gesehen, dass er jemandem ein glühendes Eisen in die Augen getrieben hatte. So wie es aussah, war Rolf auch noch ein ganz guter Tennisspieler, er war nur etwas zu fett. Rolf kämpfte auf dem Platz wie ein Tier und sein Motto war: „Hautsache jeden Ball irgendwie berühren". Ich schoss ihn trotz all seiner Bemühungen mit 6:1 und 6:2 vom Platz. Auf dem Platz kenne ich keine Freunde und auch keine Vorgesetzten. Keine Genfer Konventionen, keine Gefangenen. Es gilt das Recht des Stärkeren, und dieser Stärkere war ich.

Der Kommandeur erzählte unterdessen wohl jedem, dass ich ein guter Tennisspieler und Lehrer sei und so ziemlich jeder Offizier und Unteroffizier fragte mich wegen Tennisstunden an. Nach ungefähr einem Monat in Rendsburg hatte ich über 20 Kunden.
Ich sagte Oberfeld Schmidt, dass ich Probleme hätte mit meinem Dienst. Er sagte, ja er wisse dies und er würde auch gerne mal `ne Runde Tennis mit mir spielen. Wir würden uns noch einen Gefreiten holen, der uns bei unserer Arbeit unterstützen könne. Ich wusste nicht das man sich einfach so

einen Gefreiten holen kann. „Wenn ich mal groß wäre, dann wollte ich auch so was können."

Ich hatte einen Lauf, ich bestand meinen Führerschein, machte dabei gefühlt zwanzig Sanitätsausbildungen und verdiente auch noch zusätzlich Geld. Mein Freund der Kommandeur hatte verfügt, dass ich pro Tennisstunde die im Dienst gespielt wurde, zwanzig Mark abrechnen durfte. Ich sage hier noch mal: „Danke Boris, danke Steffi."

Dazu kam auch noch, dass der Kommandeur eine Tennismannschaft zusammenstellen wollte, die gegen andere Mannschaften aus anderen Kasernen antreten sollte.
Dadurch bildete sich eine kleine Liga, bei der Generäle, und alle anderen Dienstränge, in der Woche gegeneinander antraten, um mit Tennisschläger und Filzball dem Vaterland zu dienen.
Wenn in meiner Bundeswehrzeit jemand Deutschland angegriffen hätte, dann wäre es höchstwahrscheinlich auch meine Schuld gewesen, das wir nur mit Filzbällen zurückgeschossen hätten. Gefühlt war jeder wichtige Soldat mehr auf dem Tennisplatz als im Dienst.

Ich hatte mir ein kleines Tennisimperium aufgebaut, verdiente viel Geld und kam mir vor, wie Nick Bolletieri. Ich hatte jede Menge Tenniskunden, die ich in Uniform förmlich grüsste und denen ich Nachmittags „High Five" gab.

Der Kommandeur, dem ich einen gewissen Reichtum verdankte, sagte mir zum Ende meiner Dienstzeit, dass ich sein Leben sehr bereichert hätte und ich sehr stolz darauf sein könne, mit welchen Fähigkeiten ich ausgestattet wäre. Wenn er ich wäre, dann würde er schnellstens dafür sorgen, dass er sich aus der Bundeswehr verpisse und nicht nur ansatzweise darüber nachdächte Berufssoldat zu werden.

Ich fühlte mich großartig und sehr fähig, hatte mich sehr verändert und war schnell emotional und mental gereift. Zu schnell! Zuviel Erfolg! Zuviel Aufmerksamkeit!

Der Familienwahn

Alle diese Ereignisse sind bei meinen Eltern nie angekommen und wenn ich darüber an Wochenenden berichtete, nahm besonders mein Vater wenig Kenntnis von meinen erzielten Erfolgen, in meiner Zeit als Soldat.

Zu Hause war ich immer noch der kleine 19 jährige Oli. Mein Vater hatte nicht mitbekommen, dass ich mich verändert hatte und meine Mutter wollte es vielleicht nicht sehen.

Ich fühlte mich mal wieder ungehört und nicht wertgeschätzt. Ich war total genervt.

Dummerweise war ich wieder zu Hause eingezogen, als mein Dienst vorbei gewesen war. Mir fehlte der Halt und die Wertschätzung meiner Dienstzeit, hatte noch keine Ausbildung und wusste nicht was ich mit meinem Leben anfangen sollte. Tennislehrer war keine Option. Ich wurde von 100 auf 0 abgebremst.

Die dämlichste Entscheidung, also aus heutiger Sicht, war, dass ich eine Ausbildung in meinem elterlichen Betrieb, als Schriftsetzer begonnen hatte. Die Meinung in meiner Familie war, „Mach doch erst mal eine Ausbildung und dann sehen wir weiter.". Das ist wohl dass Schlimmste, was man einem freiheitsliebenden, kreativen Kopf antun kann. Es fühlte sich an wie Knast, aber weil ich in diesen Strukturen groß geworden war, tat ich wie mir geheissen wurde. Was für ein Irrsinn im Nachhinein.

Als Kind wollte ich immer Astronaut, oder Helikopterpilot werden. Das habe ich auch gesagt. Als ich Zwanzig war und meine Ausbildung zum Schriftsetzer begann, wollte ich lieber Schauspieler werden. In einem sehr entspannten Mo-

ment äußerte ich das eines Abends mal im Wohnzimmer meiner Eltern. Meine Mutter sagte: „Toll!", mein Vater, „Du kannst das doch gar nicht, hör auf mit so einem Scheiss."
Also hörte ich auf mit dem „Scheiss" und gab in meiner Ausbildung richtig Gas. Nach zweieinhalb Jahren, ich hatte meine Ausbildung verkürzt, wurde ich Geselle und Mitinhaber der Firma meines Vaters, einem Unternehmen in der Druckbranche, Druckvorstufe. Mein Bruder und meine Schwester waren auch schon Mitinhaber.

Ich leitete damals schon die Lithografie-Abteilung. Das ist der Bereich in der Druckvorstufe, in der damals Bilder auf Trommelscannern digitalisiert, um dann am Bildschirm farblich korrigiert und verarbeitet zu werden. Es war nicht alles scheisse. Ich war sehr stolz darauf, dass wir 1990 schon mit Apple DTP Satz und Lithographie gemacht haben. Das war seiner Zeit weit voraus.

Ich arbeitete gut und viel, sehr viel. 60-70 Stunden in der Woche waren die Regel. Das Unternehmen lief gut, der Druck war enorm hoch, die Kundschaft erwartete immer 100 Prozent, und alle Mitarbeiter gaben ihr Bestes.

Ich war zerrissen in meiner Seele und wollte einerseits gute Arbeit abliefern, andererseits auch frei sein.

Mein Vater war mein Chef. Das war ein Problem, denn ich war sehr stur und mein Vater, der Chef, mit autoritärem Führungsstil, mir gegenüber. Wir hatten seit meinem ersten Arbeitstag Spannungen und Differenzen. Immer wenn er zu mir an den Arbeitsplatz kam um zu kontrollieren, was ich tat, forderte er von mir ihm genau zu zeigen, ob ich das aktuelle Bild, welches ich gerade bearbeitete auch perfekt korrigierte, so wie es der Vorlage, die meistens gedruckt war, entsprach.

Mit der Arbeit in Photoshop ist das so, man kann einen Korrekturschritt ausführen und diesen dann mit einem Tastaturkürzel auch wieder rückgängig machen, um zu sehen, wie sich die Korrektur auf das Bild auswirkt. Mein Vater stand dann also hinter mir an meinem Arbeitsplatz und kam mit dem Kopf von hinten auf meine Kopfhöhe, und drängte sich in mein Gesichtsfeld. Dann sagte er. „Mach noch mal vorwärts und dann wieder zurück." Ich konnte es kaum ertragen, kontrolliert zu werden, aber noch schlimmer war für mich, dass er sich komplett in meinen Bereich, also den Arbeitsbereich und den körperlichen Bereich drängte. Ich fühlte mich dabei sehr eingeengt und reagierte dadurch entsprechend.

Wir hatten dann sehr schnell sehr gespannte Situationen, die mein Vater unbedingt beherrschen und mich dominieren wollte, obwohl er von meiner Arbeit an sich nicht die Bohne Ahnung hatte.

Teilweise gingen die Streits so weit, dass wir bis zu sechs Wochen nicht mehr miteinander sprachen, außer, guten Morgen und nur das Nötigste, um ein Projekt zu besprechen das wir gerade in Auftrag hatten.

Dieser Umstand war für mich wie für meine Familie, kaum zu ertragen.

Ich arbeitete acht Jahre so, das war der Zeitweise reinste Horror. Dazu kam, dass das gegenseitige Vertrauen immer mehr litt und der seelische Druck immer größer wurde.

Zu dieser Zeit bildete sich eine üble Entzündung an meinem Steißbein. Ich ließ die Entzündung ambulant, mit örtlicher Betäubung, operieren. Dies war keine gute Idee, denn auf dem Weg nach Hause, fiel ich in Ohnmacht. Bei der Operation, war dem Arzt eine Fontäne Blut ins Gesicht gespritzt. Das hätte mir zu denken geben müssen.

Die Wunde entzündetet sich noch mehr und ich musste ins Krankenhaus, um noch einmal operiert zu werden. Der Metzger, also der ambulante Arzt hatte die Sache so richtig verpfuscht.

Drei Wochen blieb ich im Krankenhaus. Die Wunde, ca. 30 cm lang und 5-6 cm tief, musste heilen. Erst nach dieser Heilungsphase konnte ich mich halbwegs wieder bewegen, oder auch setzen.

Ich fiel also bei der Arbeit aus und war krank geschrieben. In dieser Zeit besuchte mich mein Vater nur einmal im Krankenhaus. Es fühlte sich so an, als ob er kontrollieren wollte, ob ich wirklich im Krankenhaus war.

Nachdem ich entlassen wurde, war ich immer noch nicht arbeitsfähig und musste noch weitere drei Wochen zu Hause bleiben, damit die Wunde so weit verheilen konnte, so dass ich wieder arbeitsfähig sein würde.

Eines Morgens war die vernähte Wunde teilweise wieder aufgerissen und hatte sich entzündet. Der Schmerz war unglaublich, und ich musste wieder ins Krankenhaus um die Wunde versorgen zu lassen.

Ich informierte meine Mutter darüber, dass ich wieder ins Krankenhaus musste. Meinem Vater fiel nichts Besseres ein, als in der Ambulanz anzurufen, um zu kontrollieren, ob ich denn wirklich im Krankenhaus wäre. Ich hielt mich aber nicht in der Ambulanz, sondern auf der chirurgischen Abteilung auf, weil dort mein behandelnder Arzt Dienst tat. Somit war ich seiner Aufforderung bei meiner Entlassung nachgekommen, ihn direkt zu kontaktieren, falls es Probleme geben sollte.

Die Wunde musste komplett wieder geöffnet, gesäubert, desinfiziert und mit Tamponage gefüllt werden. Sie wurde nicht mehr zugenäht und musste jetzt offen bleiben und ohne Naht verheilen. Was für eine Qual.

Am Nachmittag, als ich fix und fertig wieder zu Hause war, kam mein Vater zu mir nach Hause um mir Vorhaltungen zu machen, da ich ja nicht im Krankenhaus gewesen wäre, quasi gelogen hätte und wir darüber nachdenken sollten, ob ich noch in der Firma arbeiten sollte.

Ich war entsetzt, denn ich wusste von der Kontrollaktion ja nichts. Ich drehte dann meinem Vater den Rücken zu, ließ meine Hose runter, löste den Verband und zeigte meinem Vater die Wunde, die er zuvor noch nie gesehen hatte. Da die Wunde nicht genäht werden konnte, und von innen heraus offen verheilen musste, hatte sie eine beachtliche Größe, ich hätte meine ganze Hand darin versenken können..

Mein Vater war geschockt und ich sah, dass es ihm leid tat, so einen Scheiß erzählt, gedacht oder vermutet zu haben, dass ich hier etwas vortäuschen würde. Unser gegenseitiges Vertrauen war zerrüttet.

Dieser Zustand war wohl das Schlimmste, denn im Innersten meiner Seele wollte ich ja, dass mein Vater stolz auf mich war und mir glaubt, an mich glaubt. Dies war aber nicht geschehen. Ich fühlte mich missverstanden, abgelehnt und verstoßen. Eine große innere Leere erfüllte mich. Eins kommt zum anderen, der Berg der mentalen Scheiße wuchs im Eiltempo gen Himmel. Es dauerte ingesamt acht Wochen bis die Wunde wieder ganz verheilt war.

Ich ging wieder zur Arbeit und konnte auch wieder an gesellschaftlichen Veranstaltungen teilnehmen. Ich fing also an, mich an den Wochenenden immer mehr in Kneipen rumzutreiben um den Frust von der Seele zu saufen.

Wenn ich besoffen war, war es mir auch egal, ob ich Auto fuhr. Es war sogar so, dass ich meinen Freunden, die genau so voll waren wie ich, anbot noch in eine andere Stadt zu fahren, um dort noch so richtig einen drauf zu machen.

Aus gelegentlich wurde häufig und dann irgendwann auch regelmäßig.

Die Situation in der Firma wurde immer schwieriger, das Verhältnis zu meiner Schwester, und zu meinem Bruder wurde immer schlechter und es war eine Frage der Zeit, wann ich die Firma verlassen würde.

Dazu kam, dass ich eine neue Leidenschaft entwickelt hatte. Die Musik. Ich wollte selbst Musik produzieren und suchte Menschen, mit denen ich das gemeinsam tun konnte.

So lernte ich dann im Oktober 1996 meinen heutigen Schwager, Franky, kennen, der mir beibrachte mit Logic Musik am Apple zu komponieren und zu editieren. Anfangs war es noch ein kostspieliges Hobby. Mit der Zeit wurden wir immer professioneller. Mein Vater, aber auch meine Geschwister sahen mit großem Unbehagen, dass ich nicht mehr meine volle Energie in die Firma steckte.

Heute kann ich das verstehen, damals war mir das egal, ich hatte sehr viel Energie in die Firma investiert und auch gut verdient. Aber jetzt konnte ich meine Seele nur noch mit etwas Neuem auffüllen und das war das Abenteuer der Musikproduktion.

1998, es war im Sommer, sagte mein Vater, dass er in Rente gehen würde, ich sah das als Anlass auch meinen Hut zu nehmen und sagte bei der Familienversammlung, dass auch ich ausscheiden wolle.

Darüber war niemand unglücklich. Meine Familie empfand es zwar als Verrat, dass ich nicht mehr meine volle Unterstützung dem Unternehmen entgegen brachte. Sie waren aber auch froh, das die ewige Unruhe, die ich stiftete, jetzt endlich vorbei war. Ich war quasi geächtet.

Da ich ja Mitinhaber war, hätte ich ein Anrecht darauf gehabt, den Anteil des Stammkapitals, es wären ungefähr 25500 Mark gewesen, damals wie heute eine Menge Geld, ausgezahlt zu bekommen.

Als ich dann irgendwann in das Büro meines Vaters gerufen wurde, sollte ich etwas unterschreiben, und da ich ein Naivling und sehr fremdbestimmt aufgewachsen bin, unterschrieb ich den Wisch und bemerkte dabei, wie meine Geschwister mit meinem Vater einen verstohlenen Blick wechselten. Ich hatte gerade unterschrieben, dass ich auf die 25500 Mark verzichten würde.

Das war ein nächster Tiefschlag in meinem Leben, ich fühlte mich von meiner Familie verraten, obwohl sie mich einen Verräter nannten. Mir war da noch nicht klar, wie sehr mich das verletzte. Dieser Umstand sollte noch lange nachwirken. Nach dieser Aktion habe ich den Kontakt zu meiner Familie erst einmal abgebrochen.

Ich wollte etwas Neues machen. Ich hatte einiges an Geld verdient und wollte Musik produzieren. Ich war schon immer ein leidenschaftlicher Musikhörer gewesen und dachte, daß ich das auch selber machen und auch davon leben könnte.

Ich investierte rund 30000 Mark in Equipment, Mischpult, und andere Studiotechnik. Ich baute meine damalige Wohnung in ein Musikstudio um. Der Kleiderschrank war die Gesangkabine im Schlafzimmer.

Ich tat mich mit anderen un- oder halbwissenden Menschen zusammen, die Instrumente spielten und Alkohol trinken konnten. Musiker sind ja eine besondere Spezies und ich wollte auch dazu gehören.

Nach relativ kurzer Zeit hatte ich einen Keyboarder, eine Sängerin, und einen Komponisten und einen Arrangeur in meinem Team. Es war Aufbruchstimmung pur.

Wir komponierten und produzierten was das Zeug hielt. Wir waren davon überzeugt die Welt zu erobern mit unserer Musik.

Es war eine tolle Zeit und wir, haben noch mehr gesoffen. Sekt und Wein waren bei mir immer im Kühlschrank. Wir hatten viel Spass, nur leider keinen Erfolg.

Das schönste war, dass ich in dieser Zeit meine jetzige Frau, Liz kennenlernte. Sie war, wie sollte es auch anders sein, Franky`s Schwester.

Es sollte noch elf Jahre bis 2009 dauern, bis wir endlich ein Paar werden konnten, welches sich unendlich liebt.

Ich kann nicht ausschließen, dass der schwierige Weg, für den ich mich entschieden hatte, genau der Weg war, den ich gehen musste, um mein Glück zu finden.

Das weibliche Geschlecht

Auszug Wikipedia: **Frau** (mittelhochdeutsch frouwe; von althochdeutsch *frouwa* „vornehme, hohe Frau; Herrin") bezeichnet einen weiblichen, erwachsenen Menschen. Der anders geschlechtliche Artgenosse ist der Mann. Die Bezeichnungen unterscheiden das biologische Geschlecht, die soziale Rolle oder beides. „Frau" wird in der der deutschen Sprache auch als übliche Anrede für Frauen verwendet.

Frauen spielen im Leben der meisten Männer eine besonders wichtige Rolle, sie sind Mutter, Freundin, Ehefrau und wenn man Glück hat auch noch mehr.

Wenn ein Mann einer Frau Aufwartungen macht, dann ist es meistens die Frau, die entscheidet, ob es zu einer Interaktion geschweige denn, einem Rendezvous oder einer Beziehung kommt.

Als Kind wurde ich mit zehn Jahren dick. Dies geschah in einem Urlaub, den ich mit meinen Geschwistern und meinem Vater in Italien verbrachte, während meine Mutter eine Schrotkur in Oberstaufen machte. Und ja, meine Mutter war auch eine eher vollschlanke Person.

Das Hotel, welches uns eine sehr schöne Unterkunft gab, hatte eine ausgezeichnete Küche. Mein Vater, meine Geschwister und ich, genossen dort herrliche vierzehn Tage Sommerferien, und es gab jede Menge kulinarische Genüsse. Die Essensreste, die bei meinen Geschwistern auf den Tellern blieben, verleibte ich mir, mit immer größer werdendem Appetit, auch noch ein. Ich konnte essen was das Zeug hielt. Als der Urlaub zu Ende ging, fuhren wir mit dem Auto zurück nach Oberstaufen, um auf dem Rückweg, meine Mutter abzuholen.

Das Erste, was sie in den Raum fragte war: „Wer ist das dicke Kind!?"

Mein Vater sah mich etwas ratlos an und zuckte mit den Schultern. Ich hatte in den vierzehn Tagen Italienurlaub eine Metamorphose durchgemacht, die dazu führte, dass meine Mutter mich erst nicht wiedererkannt hatte. Augenscheinlich hatte sich mein Gewicht verdoppelt.

Mein Vater hatte sich null darum geschert, ob ich zu viel aß oder ob meine Ernährung denn die Richtige gewesen sei.

Damals, also in den 70er Jahren, war das auch noch nicht so ein Thema wie heute. Zu dieser Zeit galt dick sein, noch als Zeichen von Wohlstand. Empfunden habe ich das etwas selektierter. Die jahrelangen Hänseleien haben mir schon ordentlich zugesetzt.

Ab diesem Zeitpunkt war ich ein Dickerchen. Das Dickerchen wurde dann im Laufe der Jahre zu einem dicken Jungen. Da ich gute Gene in mir trage, war ich trotz Übergewicht immer ein guter Sportler. In der Schule wurde das auch von den Sport-Lehrern immer besonders benotet, da ich ja viel mehr Gewicht mit mir rumzutragen hatte als die Schlanken, um das gleiche Ergebnis zu erzielen.

Leider war es für mich persönlich eine absolute Katastrophe dick zu sein und als ich in die Pubertät kam, bekam ich auch noch richtig fiese Pickel. Ich war dann also ein dicker, pickeliger, vierzehnjähriger Junge, der so gut wie keine Chance hatte eine Freundin zu bekommen.

Dazu kamen noch die Hänseleien von den meist männlichen Mitschülern. Mein Selbstbewusstsein war schwer angeschlagen. Für dicke Teenager gibt es zwei wesentliche Entscheidungen die sie für ihr Leben zu haben. Sie entscheiden sich für den Opferstatus oder sagen ihrem Schicksal den Kampf an. Zurück oder nach Vorne. Für mich gab es nur nach Vorne.

Also verpasste ich mir eine Selbstbewusstseinstherapie und sagte mir insgeheim jede Sekunde die ich erübrigen konnte, das ich ein toller, gut aussehender Junge sei. Das aus der bewussten Selbsttäuschung gezogene Selbstbewusstsein ist bis heute präsent.

Richtig übel wurde es, wenn sich Mädchen, in meinen Augen meistens die Hübschen, mich zu ihrem besten Freund erkoren. Der Junge, dem sie ihre Sorgen erzählen konnten, wenn ihre viel schlankeren Lover sie schlecht behandelten oder andere peinliche Themen anstanden.

Oh Mann, da ist man ein pubertärer Bube, der seine Sexualität entdeckt, oder entdecken will, hat die schönsten Mädchen als Freundinnen und keine Möglichkeit, auch nur eine davon einmal zu küssen, oder irgendwie anders zu berühren. Ich konnte mir in etwa vorstellen, wie ein Windhund fühlt, wenn er auf der Rennbahn hinter einem Hasen herläuft ohne die Chance, ihn jemals schmecken zu dürfen. Ich gab mein Bestes ihnen ein guter Freund zu sein. Durch die Vertrauensposition, die ich bei den Mädchen hatte, hatte ich aber auch einen großen Vorteil. Ich konnte lernen. Ich lernte, was

Mädchen sich von Jungs wünschen und ich lernte, wann Mädchen zerstörerischen Einfluss auf Jungs hatten. Ich wollte immer ein Gentlemen sein, Frauen gut behandeln und wenn es ihnen schlecht ging, sie retten. Ich hatte einen ausgeprägten Beschützerinstinkt entwickelt und mit dem Wachstum wurde ich zwar ein dicker, aber auch sehr stark gewachsener junger Mann mit breiten Schultern und enormen Bizeps. Wenn es nötig wurde, trat ich auch schon mal für das ein oder andere Mädchen ein und drohte jenem Lover, sie anständig zu behandeln oder sich aufzulösen.

Ich machte großen Eindruck auf die Jungs und als ich Sechszehn war, maß ich 186 cm bei 100 Kilo. Es war also relativ schwer mich körperlich zu attackieren und falls es einer versuchte, war ich mittlerweile kampferprobt.

Mit 17 hatte ich die Schnauze voll vom „dick sein" und unterzog mich einer drastischen Diät mit einem harten Sportprogramm. Ich spielte zwar Tennis und machte auch sonst viel Sport, aber ich fraß wie ein Scheunendrescher, um die verloren gegangenen Kohlehydrate wieder in mich auf zu nehmen. In der neunten Klasse bekamen wir eine neue Mitschülerin, Michaela.. Sie war wohl das schönste Mädchen, dass ich mir vorstellen konnte. Sie hatte eine unglaubliche Figur und tolle, lange, lockige, blonde Haare. Ich verliebte mich sofort in sie und da ich keine Chance hatte ihr Lover zu werden, kloppten wir beide uns erst mal ausgiebig. Ich hatte mich noch nie vorher mit einem Mädchen „geprügelt", aber es war eine Erfahrung die ich nicht noch mal machen möchte, sie hatte lange Fingernägel. Egal, ich war verliebt und musste etwas an mir verändern. Zum Frühstück gab es nur noch Schwarzbrot ohne Butter und etwas

Käse, Mittags Pellkartoffeln mit Quark, und nach den Hausaufgaben, ging ich 5 Kilometer joggen. Abendbrot viel meistens aus.

Ich machte eine unglaubliche Veränderung durch und verlor in acht Wochen 22 Kilo an Gewicht.
Dies blieb den Mädchen nicht verborgen und aus dem dicken Jungen mit Pickeln wurde ein schlanker, durch-trainierter, junger Mann mit weniger Pickeln.

Ich sah tatsächlich ganz gut aus und wurde von den Mädchen oder Frauen auf einmal ganz anders wahr-genommen.

Ich pflegte eine tiefe Freundschaft zu Michaela, die aber leider mit Stefan zusammen war, der schon ein Auto hatte, vier Jahre älter war und irgendwie cooler daher kam als ich. Das könnte an dem Alfa Spider gelegen haben den er fuhr oder gelegentlich auch schob.

Michaela erzählte mir alles, vom letzten Streit, von Eifersucht oder dem letzten Geschlechtsverkehr. Ich wollte das eigentlich nicht wissen, aber ich stellte fest, dass ich viel mehr über Michaela wusste als ihr Freund. Auf der Schulabschluss-Klassenfahrt nach München, kam es zwischen Michaela und mir, zu einer sehr wilden Knutscherei.
Ich dachte schon, ich hätte sie gewonnen, und sie würde mit Stefan Schluss machen, wenn wir wieder zurückkehren würden. Dem war leider nicht so und mein Herz wurde schwer wie Blei. Ich war wohl etwas naiv gewesen. Unsere Freundschaft ging aber nicht auseinander, ich wollte in ihrem Dunst bleiben, obwohl ich die Hoffnung auf eine Beziehung aufgegeben hatte. Im Sommer darauf war meine Schulzeit zu Ende und ich ging zur Bundeswehr. Den Kontakt zu

Michaela hatte ich aber nie beendet, da mein Herz an ihr hing und ihres an meinem. Vielleicht sollte es ja doch noch klappen mit unserer „Liebe".

In der Bundeswehrzeit hatte ich mit Frauen nicht viel zu tun, obwohl sich die Gelegenheiten dafür mehrfach ergeben hatten.
Ich wollte aber keine oberflächlichen Beziehungen und wusste ja auch, das ich nicht im Norden Deutschlands bleiben wollte.

Als Michaela mich zu meinem 26. Geburtstag nach Hamburg entführte, ich natürlich nix gemerkt von ihrer wahren Motivation, wollte sie mich im Hotel verführen. Leider war da schon nichts mehr möglich. Wir waren zu lange befreundet um noch eine Liebesbeziehung führen zu können. Ich hatte das vorher schon mit einer anderen langen Freundin probiert. Es waren grausige drei Wochen.

Karen

Studien haben bewiesen, das Frauen in über 80 Prozent aller heterogenen Beziehungen die befragt wurden, Männer so beeinflussen, dass diese das tun was Frau von Ihnen verlangt. Pinkle nicht im Stehen, bring den Müll runter, sag Deinem Chef Du brauchst mehr Geld und so weiter. Männer mit Beschützerinstinkt sind besonders betroffen da sie ein besonders weiches Herz haben oder einfach nur noch Naiver sind als die anderen Kerle.

Keine Ahnung, ob es so eine Studie gibt, ich würde sie sofort bestätigen.

Durch Frauen sind Kriege ausgelöst und Dynastien ausgelöscht worden. Frauen haben Macht über Männer. Frauen können Männer zu Marionetten machen, ich war so eine Marionette. Ohhh der arme Oli, weint jetzt, ohhhh. Nein tut er nicht, denn er fühlte sich in seiner Rolle ja bestätigt, der Beschützer zu sein, glaubte er, Frau muss nur die richtigen Knöpfe drücken.

Genau so spielte es sich ab, als Karen in mein Leben trat. Ich war 26 Jahre alt und ein cooler Typ, der viel Geld hatte und noch mehr arbeitete. Ich sah das Objekt meines totalen Verfalls zum ersten Mal in einem Biergarten in Haan, meiner Heimatstadt. Sie saß da wie ein Engel. Wunderschön, mit roten Haaren, ich stehe auf rote Haare, und einem unglaublichen Gesicht. Sie hatte eine phantastische Figur und ich war sofort hin und weg. Ich wollte sie unbedingt haben. Was mir hätte zu denken geben müssen, wenn ich auf ein Gehirn mit Selbstschutz-Mechanismus hätte zurückgreifen können.

Ein paar Tage später sah ich sie wieder, als ich mit meinem Bruder unserer Stammkneipe einen Besuch abstattete. Ich kannte so ziemlich jeden, der dort verkehrte und natürlich die Besitzer. Der Vorteil ist, wenn man die Besitzer kennt, muss man nicht bestellen, man bekommt einfach seine Getränke und wenn man was anderes will, hilft Zeichensprache. Irgendwann, es war schon spät, wir waren alle betrunken, unterhielt sich mein Bruder mit Karen, weil er sie auch scharf fand. Als er mit ihr ins Gespräch kam, sagte sie zu mir: „Warum glotzt Du so blöd?". Ich drehte den Kopf und tat so als müsste ich mich vergewissern, dass ich gemeint war, und sagte: „Wenn Du mich meinst, wie könnte ich dich nicht ansehen, so schön wie Du bist?." Sie registrierte meinen Charme, den ich spielen ließ und im Laufe des späteren Abends war ich in ein tiefes Gespräch mit ihr verwickelt. Sie hatte eine unglaublich sexuelle Ausstrahlung und ich war ihr Gefangener. Ich erfuhr, dass sie 32 Jahre alt war und zwei Kinder hatte. Mir war das alles egal, ich war ihr verfallen. Wir tranken viel, bis in die frühen Morgenstunden und irgendwann sagte sie zu mir: „Ich muss jetzt gehen." Ich fragte sie: „Wie kommst Du nach Hause?" und sie sagte: „Mit meinem Fahrrad." Ich zahlte und begleitete sie zu ihrem Vehikel. Da sie das Fahrradschloss nicht mehr aufschließen konnte, schloss ich für sie auf und frage: „Darf ich dein Fahrrad nach Hause schieben?" Sie lächelte mich an und nickte mit ihrem wunderschönen Kopf. Später sagte sie mir, als wir schon einige Zeit zusammen waren, dass meine Frage, ihr Fahrrad schieben zu dürfen, der Punkt gewesen sei, um sich für mich zu entscheiden. Erst für diesen Abend und dann für die restliche Zeit unserer katastrophalen Beziehung. Eine Entscheidung, mit fatalen Folgen für mich.

Denn mein Leben ist nach diesem Abend total aus den Fugen geraten.

Sie war wie eine Gottesanbeterin, die das Männchen nach der Begattung langsam auffrisst, dieser Prozess dauerte bei mir, ich kann es kaum schreiben, fast sieben Jahre lang.

Die erste Zeit war sehr intensiv und ich noch sehr naiv. Ich spürte in dem Wahnsinn, den sie ausstrahlte und auch lebte, das sie im Inneren eine traurige Seele trug. Mein Beschützerinstinkt, ich kann das Wort kaum noch schreiben, war gefordert. Diese Seele musste gerettet von mir gerettet werden, koste es was es wolle. Es wurde ein hoher Preis.
Ich verfiel ihr immer mehr und geriet in eine Abhängigkeit. Der Kontakt zu meiner Familie wurde immer dünner und mein damaliger, bester Freund machte sich große Sorgen. In dieser Zeit unserer Beziehung, in der ich einen sehr intensiven Kontakt zu ihren Kindern, zwei Mädchen, hatte, betrog sie mich fast ununterbrochen, stellte zwischendurch den Kontakt ein, rief mich dann wieder heulend an, damit ich kommen würde und so weiter. Einmal als sie wieder den Kontakt abgebrochen hatte und ich mit ihr reden wollte, ging ich zu ihrer Wohnung und klingelte. Als sie zur Türe kam, wollte sie mich nicht rein lassen, sie war nur in Unterwäsche. Sie wollte mich abwimmeln und die Türe wieder schließen, in mir kam eine unglaubliche Wut hoch, da ich gerade Gerichtskosten in Höhe von 2800 D-Mark für sie bezahlt hatte. Sie musste ja unbedingt einem Typen, den sie aus ihrer Vergangenheit kannte, in meiner Stammkneipe eine reinhauen, woraufhin der Typ sich dann die Schulter auskugelte. Hätte ich ihr besser mal eine rein gehauen, kleiner Scherz.

Egal, ich trat kurzerhand die Wohnungstüre ein. Als ich in Ihr Wohnzimmer kam wo auch das Bett stand, welches ich ihr erst kürzlich geschenkt und aufgebaut hatte, lag in diesem Bett ein Mann, mit dem sie sich gerade vergnügt hatte. Ich war voller Adrenalin und sagte zu dem Typen, der gerade aufstehen und sein Maul aufmachen wollte, das er nicht mal atmen sollte. Der Typ hatte einen guten Instinkt und verschwand, ganz der Held, unter der Bettdecke.

Karen stand vor mir und tat so als wäre alles cool. Bei mir war aber nichts cool, ich würde aus heutiger Sicht beschreiben, das ich nicht uncooler hätte daherkommen können. Bei mir sind in diesem Augenblick bestimmt ein paar Sicherungen durch-gebrannt. So genau kann ich das nicht beschreiben. Aber meine Gesichtsmuskeln waren zu einer harten Masse erstarrt und meine Zähne waren kurz vor dem zerbersten, als ich......

Dies war das einzige Mal in meinem bisherigen Leben, dass ich eine Frau geschlagen habe. Mein Schmerz war so groß, dass ich dachte mein Herz würde explodieren.

Nach diesem Tag sagte ich mir, niemals würde ich mehr mit ihr sprechen. Wie man sich irren kann. Ich konnte mich nicht von Karen lösen, ich war mental abhängig und gleichzeitig am Ende. Ich hatte mich dann dazu entschlossen, meinen Kummer mit Wein und Jägermeister zu ersäufen. Geholfen hat es nicht.

Dies blieb auch meiner Mutter und meiner Familie nicht verborgen. Sie sagte mir ich müsse mich trennen, Karen würde mich zerstören. Sie hatten recht, ich wurde zerstört, aber nicht von Karen, sondern von mir selbst, denn ich hatte einen Pakt mit dem Teufel gemacht. Ich wollte sie retten, ich wollte nicht versagen.

Als etwas Gras über die Sache gewachsen war, rief mich Karen an und entschuldigte sich. Es war das erste Mal, dass sie einen Fehler eingestand und natürlich verzieh ich ihr. Wie blöde kann man sein. Ich war in einem Zustand der absoluten Schwäche und wusste nicht mehr was richtig und falsch war. Ich glaubte immer an das Gute und bekam einen Haufen Scheiße nach dem andern über den hohlen Kappes geschüttet.

Auf einer Geburtstagsparty eines Freundes nahm ich sie mit und wir hatten erst einen sehr entspannten Abend. Mit zunehmendem Alkoholgenuss veränderte sich aber die Stimmung von Karen und sie wurde ein nicht zu bändigender besoffener Zombie. Als ich sagte: „Ich möchte gehen." sagte sie: „Nein, ist doch gerade so schön, ich bleibe noch." Ich ging.

Meine Wohnung war in unmittelbarer Nähe der Party und ich hörte ein lautes Gejohle und Geklatsche. Gedacht habe ich mir nichts dabei und las in meinem Bett einen total spannendes Buch. In der späten Nacht kam Karen noch zu mir nach Hause, sie hatte einen Schlüssel zu meiner Wohnung, legte sich zu mir ins Bett und schlief sofort ein. Am nächsten Morgen gab es noch einen Kaffee, und wir verabschiedeten uns relativ distanziert.
Um die Mittagszeit rief mich mein Freund an und ich fragte wie es noch gewesen sei. Er erzählte mir folgende Horrorstory.
Karen legte mit einem anderen Freund, meines Freundes erst zusammen Musik auf. Je später es wurde, knutschten sie wild miteinander, um sich im Anschluss die Kleider vom Leib zu reissen und es mitten im Wohnzimmer fast

miteinander zu treiben. Die Partygäste standen im Kreis herum, um sie klatschend und johlend anzufeuern.

Ich war geschockt. Nein, das ist kein Ausdruck dafür, wie ich mich gefühlt habe. Ich kann diese Scham und dieses Entsetzen nicht wiedergeben, aber mit den Zeilen, die ich hier schreibe, kommt dieses Gefühl der totalen Erniedrigung wieder hoch. Als ich meinem Freund berichtete, dass Karen wie ganz normal in mein Bett gestiegen wäre, war er fassungslos. Zum Glück hatten wir nicht miteinander geschlafen. Ich hätte mich, nein, besser sie, aus dem Fenster geschmissen.

Ich beendete die Beziehung nicht, ich habe sie einfach nicht mehr angerufen. Ich konnte nicht mehr und war am Ende. Sie hat dann noch ein paar Mal versucht mich zu erreichen, aber ich habe sie ignoriert, sie aus meinem Leben verjagt, getilgt, gestrichen.

Für Ihre Kinder tat es mir leid. Ich habe bis heute, dank Facebook, noch sporadisch Kontakt zu Ihnen. Mittlerweile haben auch die Kids den Kontakt zu ihrer Mutter abgebrochen. Später erfuhr ich, dass sie Jahre lang von Ihrem Vater missbraucht worden war. Sie hat eine starke posttraumatische Belastungsstörung. Ihre Mutter hatte nichts dagegen unternommen. Sie hasste Männer und ließ nichts unversucht sie zu zerstören. Fast hätte sie es bei mir geschafft. Ich kann mir vorstellen, dass sie nach mir noch weiteren Männern den Garaus gemacht hat.

Mein Herz war gebrochen, in tausend stücke zersprengt. Wie sollte es je wieder heilen. Dem Psycho-Krieg, dem ich ausgesetzt war, hatte Ausmaße angenommen, die ich nicht mehr kontrollieren konnte. Ich befand mich in einer Abhängigkeit und hatte keine Ahnung, wie mir geschah. In dieser Zeit, die ja parallel mit meiner hohen und intensiven Arbeitsbelastung einherging, griff ich immer häufiger zum Alkohol und soff, was ging. Ich musste mich betäuben, um zu funktionieren. Zum Glück hatte ich immer große Angst vor anderen Drogen. Wenn ich diese Schwelle überschritten hätte, keine Ahnung, ob ich das überlebt hätte.

Da ich in einer rosaroten Wolke aufgewachsen war, hatte ich so gut wie keine Kontakte zu psychisch kranken Menschen. Dieses Thema wurde von meinen Eltern stets gemieden. Es hatte sehr lange gedauert, bis ich begriff, dass psychische Probleme Realität waren und nicht nur Inhalt von dämlichen Sprüchen. Ich war natürlich selbst Schuld. Ich war kein wirklicher Beschützer. Ich war ein oberflächlicher kleiner Spinner, der meinte ein Retter zu sein. Dabei ging es ja immer nur um mich. Ich Armer. Ohhhhh, wie schlecht es mir geht. Und was war mit den anderen? Was hätte ich wirklich tun können? Da darf man mal drüber nachdenken.

Liz

Nach Karen war erst mal Schluss mit Frauen in meinem Leben. Ich war nicht mehr in der Lage Gefühle zu zulassen, was mich, als sehr emotionalen Menschen fertig machte. Ich musste mich schützen. Als ich Franky kennenlernte, also meinen heutigen Schwager, das war so etwa ein Jahr nach Karen, ging es mir emotional schon wieder besser und ich glaubte mir zutrauen zu können, langsam wieder fremde Menschen in mein Leben zu lassen. Wir arbeiteten an mehreren Songs bis spät in die Nacht. Manchmal schlief Franky auch bei mir, wenn es wieder bis in den Morgen ging. Immer am Start Wein, Sekt und Bier. Es war Frühling, die Tage wurden länger, Frühlingsgefühle immer stärker.

Einige Male wurde Franky von seiner Schwester Liz abgeholt. Sie kam nie zu uns ins Studio, sondern sie wartete im Auto bis Franky dann nach unten ging, um mit ihr, wohin auch immer, zu fahren. Ich fragte ihn irgendwann, warum Liz nicht rein kommen wolle. Darauf bekam ich nur die Antwort, sie möchte nicht stören. Ich dachte mir, das ist doch Quatsch. Als ich sie das nächste Mal hupen hörte, ging ich ans Fenster und rief runter: „Komm hoch, Du störst überhaupt nicht!"

Ich hatte Liz davor noch nie gesehen, außer mal am Autofenster. Als sie dann aus dem Auto stieg, blieb mir die Spucke weg. Ein wunderschönes Mädchen, gerade mal 22 Jahre alt, also 7 Jahre jünger als ich, mit blonden langen Locken und einem Gesicht, aus Porzellan modelliert. Ein wahrer Engel!

Ich war sofort hin und weg. Für mich war es Liebe auf den ersten Blick und ich wollte unbedingt mit ihr zusammen sein. Da war doch was?! Hallo!??!?

Liz befand sich in dieser Zeit in einer endenden, Beziehung mit Andreas. Andreas hatte Liz sehr schlecht behandelt und ich wollte Liz`s Retter sein. Natürlich, dumm geboren, nichts dazu gelernt.

Bemerkenswert ist, das es sehr schwierig ist, aus seinen alten, ungesunden, Strukturen auszubrechen. Schlechte Erfahrungen allein reichten bei mir nicht aus. Ich schien lernbehindert zu sein. Liz fand mich ziemlich nett und ich gab mir große Mühe an sie ran zu kommen. Ich hofierte sie, ging mit Ihr stundenlang Spazieren, sie hatte einen Schäferhund der spektakulär haarte. Ich machte Liz Komplimente, tat alles um sie zu erobern. Wir trafen uns häufig und kamen uns auch körperlich immer näher. Trotzdem hielt sie mich auf Abstand.

Ich kämpfte sehr um sie und wir hatten eine schöne, abenteuerliche Zeit. Liz verführte mich zu meinem ersten Joint. „Wirkt nicht" hatte ich nach dem Lachflash gesagt. Wir genossen die Zeit, die wir miteinander verbrachten und machten viel Unsinn, wie ein Teenager Pärchen. Wenn sie bei mir war, schlief sie nie bei mir bis zum nächsten Morgen. Sie ging spätestens um 4 Uhr Nachts nach Hause. Es gab immer andere, fadenscheinige Ausreden. Mir war das nicht schlüssig. Wenn ich danach fragte wich sie mir aus. Mein Herz fing an zu schmerzen. Manchmal meldetet sie sich mehrere Tage nicht oder verabredete sich mit anderen Typen, die sie bei einer Party, bei der wir gemeinsam waren, kennengelernt hatte. Ich wurde eifersüchtig und kam mir schlecht und minderwertig vor. Ich fühlte mich schlecht behandelt und fragte mich, was ich falsch machen würde. In meinem Umfeld hatte ich zu dieser Zeit niemanden, den ich um Rat fragen konnte. Ich musste damit selbst fertig werden.

Liz hielt mich an der langen Leine und ich litt wie ein Hund der nicht genug gestreichelt wurde.

Aus meiner Sicht dachte ich, ich wäre mit Liz zusammen, aber man kann nie sicher sein. Sie hielt etwas vor mir verborgen und ich kam nicht dahinter. Ich lieh ihr mein Auto, eine S-Klasse, wenn sie ein Bewerbungsgespräch hatte, ich beriet sie, wenn sie meinen Rat brauchte. Sie brauchte mich, dachte ich, aber später wurde mir klar, dass sie mich benutzte.

Eines Tages im Sommer, sagte sie zu mir, das sie am nächsten Tag, sechs Wochen nach Italien in den Urlaub fahren würde. Sie fuhr mit Ihren Eltern und einer Freundin.

Hallo!? Sechs Wochen!? Von heute auf morgen!? Ohne mich vor zu warnen? Was für eine Katastrophe. Ich bin fast zusammengebrochen. Ich fühlte mich verlassen und verraten. Sie versprach mir sich zu melden und SMS zu schreiben. Es war 1997 und Handys gab es schon.

Sie meldete sich nicht, sechs Wochen lang, meldetet sich sie nicht ein einziges Mal. Wenn ich SMS schrieb, antwortete sie nicht. Ich wurde panisch, konnte nicht mehr schlafen, heulte, hatte körperliche Schmerzen, trank und rauchte noch mehr als sonst und nahm ab.

Mein schon geschundenes Herz bekam jeden Tag mehr Risse. Ich spürte jeden Millimeter Schmerz, der hinzu kam. Ich wollte sterben. Ich ging in Kneipen und trank, ich war zu

Hause und trank. Ich weinte viel und bemitleidete mich selbst und trank. Meine Freunde machten sich große Sorgen um mich. Ich hatte keine Ahnung warum mir so etwas Grausames widerfahren sollte. Ich fühlte, ich würde jeden Tag ein Stück mehr sterben. Meine Seele trennte sich mehr und mehr von meinem Körper.

Ich hatte durch Karen schon viel Leid erfahren, aber ich konnte auf sie zu greifen, auch wenn ich die Türe dafür eintreten musste. Aber Liz war in Italien. Wie sollte ich dort hin kommen. Franky war mir keine Hilfe. Er sagte nur, die wird sich schon melden. Sie meldete sich nicht und als die sechs langen, grausamen Wochen der Folter vorbei waren, war ich nur noch ein Schatten meiner Selbst.
Irgendwann sagte Franky mir, dass Liz am nächsten Tag nach Hause kommen würde, dachte ich, dass sie nach ihrer Ankunft zu mir kommen würde. Aber sie kam nicht. Sie ließ sich noch Mal eine Woche Zeit bis sie endlich vor meiner Türe stand. Ich hatte weiche Knie und war sehr nervös. Hatte Angst vor dem, was unausweichlich war, hoffte auf eine positive Wendung. Zehn Minuten nachdem wir uns seit sieben Wochen das erste Mal wieder sahen, sagte sie mir: „Ich mache Schluss!" Ich hatte ja vorher schon keine Beziehung gehabt. Mein Verständnis für ihre Tränen, die ich ihr nicht glaubte, hielt sich in entsprechenden Grenzen.

Als sie meine Wohnung verließ, hatte ich eine Wut in mir, die ich nicht beschreiben kann. Ich war nur froh, dass mein Leid ein Ende hatte, obwohl ich sehr sehr verliebt in sie war.

Ich fing an zu verdrängen. Ich wollte keinen Schmerz mehr spüren und verstand nicht, warum ich Frauen anzog, die emotionslos und eiskalt mir gegenüber waren. Wie kann man so etwas aushalten. Das würde mir nicht mehr passieren. Ich schwor mir, mich in Zukunft zu schützen. Die Geschichte mit Liz hatte sich in nur sich in nur drei Monaten abgespielt. Drei Monate brauchte es um mein mich zu zertreten wie eine Schabe im Dreck. Meine Seele wurde wieder zu einem toten Klumpen verwandelt.

Ich war es natürlich selbst Schuld. Warum lässt Du Dich auf so eine Frau ein, warum suchst Du Dir nichts Anständiges. Eine normale Frau, die Kinder will und den Rest meines Lebens mit mir verbringt.

Aber ist das mein Leben? Erst Jahre später, als wir schon vier Jahre verheiratet waren, erzählte Liz mir, was wirklich ihr Problem mit mir war und warum sie nicht mir darüber sprechen konnte.
Zu dieser Zeit verbrachte ich noch viel Zeit mit der großen Tochter von Karen. Caro war damals sechzehn Jahre alt und hatte mich als ihren Vater adoptiert. Liz hatte damals große Angst, dass ich mit Caro ein, sexuelles Verhältnis haben könnte. Dem war definitiv nicht so. Liz konnte mit mir aber nicht darüber sprechen und hatte in meine Offerten und Handlungen ihr gegenüber kein Vertrauen. Was für ein Wahnsinn. Ich musste so leiden, weil ein Mensch, den ich liebte kein Vertrauen zu mir hatte.

Sie hatte selbst eine schwierige Vergangenheit und ein gestörtes Verhältnis zu Männern. Damals war mir das nicht bewusst. Ich dachte man könne in mir lesen wie in einem offenen Buch: das ich aufrichtig und ehrlich war und nur ihr Bestes wollte. Stattdessen hat mit großer Sicherheit mein Alkoholkonsum viel dazu beigetragen, dass ich nicht erkannt hatte, dass Liz ein ebenso zartes Herz in sich trug, wie ich.

Sportlerwahl des Jahres

Als ich nach der Bundeswehr wieder in mein Elternhaus einzog, ich erwähnte dies schon, wurde in der Strasse meines Elternhauses eine Kneipe neueröffnet. Das „Sonus". Im „Sonus" trafen sich viele meiner Freunde und Bekannte. Hinter der Theke stand die Besitzerin Heike.

Sie hatte schnell den Ruf, jedem der regelmässig kam und ordentlich Konsumierte, nach einer gewissen Zeit einen besonderen Rabatt zu geben. Dies spielte sich dann in der Etage über dem Gasthaus ab.

Zu dieser Zeit hatte ich einen sehr guten Freund, der elf Jahre älter war als ich. Peter und ich waren Seelen-verwandte. Wir haben damals wirklich unglaublich viel Scheiß gemacht und natürlich viel getrunken. Um nicht zu sagen, gesoffen. Da ich zu dieser Zeit, in der Firma meines Vaters eine Ausbildung machte und zu Hause wohnte, hatte ich immer genug Geld um es in Alkohol umzusetzen. Wir erfanden Trink- und Thekenspiele und andere unterhaltsame Dinge, die den anderen Gästen auch schon mal gerne auf die Nerven gehen konnten.

Da das Unternehmen meines Vaters unter anderem eine überregionale Zeitung produzierte, hatte ich die Möglichkeit 1989 zur Sportlerwahl des Jahres eingeladen zu werden. Die Frage wäre gerechtfertigt, wenn sie jemand stellen würde, wie kommt man zu so einer Veranstaltung? Vitamin B und zwar von 6-12. Mit dem Auto meines Vaters, ein 300er Mercedes Modell 124, fuhren wir nach Wiesbaden zum Veranstaltungsort. Am Galaabend, moderierte Günter Jauch, es war beeindruckend. Da wir beide etwas angespannt waren, genehmigten wir uns beim Empfangscocktail, schon einige Gläser mit flüssigem Gold. Wir lernten viele Promis kennen. Klaus Wolfermann, Guido Kretschmar, Anja Fichtel, mit der ich einen Walzer tanzte. Die beeindruckendste Begegnung hatte ich auf der Herrentoilette.

Nach der ersten Stunde im Foyer, wo es das flüssige Gold gab, wurden die Tore zum Festsaal geöffnet. Peter und ich standen die ganze Zeit an der Theke und unterhielten die Leute prächtig. Ich verspürte auf einmal einen starken Harndrang und ging zur Toilette. Trat ein, niemand sonst war noch anwesend. Ich begrüsste also meinen „Lörres" um ihm mitzuteilen das er jetzt Wasser lassen könne. Dabei pfiff ich „Under Pressure" von Queen und David Bowie. Im Augenwinkel merkte ich, dass ein weiterer Herr das Pissoir benutzt. Der Mann ist groß aber irgendwie eingeschränkt in seinen Handlungsmöglichkeiten.

Ich drehte langsam meinen Kopf nach rechts und erkannte, Hans-Joachim Deckarm. Mein Handballgott! Der wohl beste Handballer aller Zeiten stand neben mir und pisste mit mir um die Wette. Er hatte bei der Weltmeisterschaft 1978 in Moskau einen schrecklichen Unfall, von dem er sich nie mehr erholen konnte. Für mich war die Begegnung trotzdem ein unglaubliches Gefühl. Ich nickte ihm cool zu und er nickte cool zurück, so wie es Männer auf der Toilette eben machen. Normalerweise hätte ich noch einen Spruch raus gehauen, aber ich traute mich nicht. Was gibt es cooleres, als diese Form der Kommunikation. Ehrlicher kann es nicht mehr werden.
Peter und ich verbrachten einen tollen Abend. Die Tische

waren voll besetzt mit Prominenz ohne Ende. Wir saßen am Journalistentisch und gaben einen Kalauer nach dem anderen zum Besten. Plötzlich sah ich an unserem Nachbartisch eine südländische Schönheit alleine am Tisch sitzen. Es waren runde Tische für zehn Personen. Ich hatte ordentlich getankt und genau den richtigen Mut um sie anzusprechen. Warum wunderte ich mich nicht, dass sie alleine am Tisch saß. Ich versuchte ihr ein Gespräch aufzuzwingen und laberte und laberte. Irgendwann bemerkte ich, dass sie die ganze Zeit auf die Bühne starrte und mich erfolgreich ignorierte. Ich bekam nur am Rande mit, dass der Ruder Achter, der gerade zur Mannschaft des Jahres nach dem Olympiasieg in Seoul gekürt wurde, wieder die Bühne verließ und direkt auf den Tisch zusteuerte, wo ich gerade neben der südländischen Schönheit saß. Nach den ersten bösen Blicken von der Wand aus Männern, alle so um die zwei bis drei Meter groß, konnte ich nicht schnell genug wieder an meinen Platz zurück fliehen. Wie peinlich ist das denn, dachte ich und schämte mich zu Tode, das ging gerade noch. Peter lachte sich schlapp, alle anderen am Tisch auch.

Laufen ging nicht mehr, also fuhren wir am Ende der Gala total besoffen mit dem Benz zurück zum Hotel. Auf dem Rückweg, ich fuhr viel zu schnell, wäre ich fast in eine Baustelle gerast. Im letzten Augenblick konnte ich, mit einer Vollbremsung und ABS, verhindern, dass der Wagen in ein etwa fünf Meter tiefes Loch in der Straße gestürzt wäre.

Wir sind dem Tod oder mindestens schweren Verletzungen nur knapp entgangen. Damals haben wir gelacht, aber zu Lachen gab es da nicht viel. Es war ein Wahnsinn. Endlich im Hotel angekommen, brachen wir noch in die Küche des Hotels ein und fraßen die Kühlschränke leer.

Maga

Ich schweife ab, ich will ja hier die Geschichte von Maga und mir erzählen. Irgendwann stand nicht nur Heike hinter der Theke vom „Sonus" sondern auch Maga. Sie war süße sechzehn Jahre und hatte dunkelbraune, lange, lockige Haare, die ihr fast bis auf den Po fielen. Maga sah aus wie Schneewittchen, allerdings mit einer „Hells Angels" Mentalität. Ich fand sie toll und versuchte Kontakt mir ihr aufzunehmen. Das erwies sich als sehr schwer, denn Maga wollte keinen Kontakt zu Männern, dachte ich.

Eines Abends, wir strandeten mal wieder in Sonus, sagte Peter: „Nu mach mal, sag schlaue Sachen und verwickle sie in ein Gespräch." Aber ich war schüchtern und traute mich nicht.

Auf einmal sagte Peter etwas lauter, „Wie, du warst noch nie im Schwarzwald, da kann man von einem Jägerstand aus bis zu den Vogesen sehen?"

Ich dachte, was soll der Blödsinn, was labert der denn da und versank vor Scham auf meinem Thekenhocker. Keine Ahnung, wie man auf einem Thekenhocker versinken kann, aber ich schaffte es.

Auf einmal sah Maga, die hinter der Theke stand und Gläser polierte, zu uns rüber.

Sie kam zu uns und sagte: „Man kann doch gar nicht vom Schwarzwald bis zu den Vogesen sehen."

„Doch doch" sagte Peter und bestand auf seiner Meinung.

Durch diese Aussage entfachte sich eine einstündige Diskussion mit Maga, Peter mir und anderen Thekenhocker-Besetzern über die Frage, ob man vom Schwarzwald bis zu den Vogesen sehen könne. Da ich im Erdkunde-Unterricht gut aufgepasst hatte, wusste ich, dass die Vogesen vom Schwarzwald aus nicht zu sehen waren, egal wie hoch der nächste Jäger-Hochstand auf dem höchsten Berg im Schwarzwald gebaut wäre.

Am Ende war mir das aber sehr egal. Denn die Diskussion war sehr lustig und das Wichtigste war, ich hatte auf einmal einen sehr guten Draht zu Maga. Ich war dankbar.

Maga war, von ihren Eltern, aus Mallorca abgehauen zu einer Freundin der Familie gekommen, Heike eben.

Sie wollte die Schule zu Ende machen und ich bot mich als Nachhilfelehrer an. Maga fand die Idee toll, und so trafen wir uns eines Abends in meinem Elternhaus zur Mathenachhilfe im meinem Zimmer. Wenn ich heute daran denke, weiß ich warum Maga den Abschluss nicht geschafft hatte. Ich war die schlechteste Wahl als Mathe-Lehrer, und sie musste mir erst mal erklären, worum es ging damit ich sie nachher falsch beraten konnte. Wieso wollte sie nicht Tennis spielen lernen?

Auch egal, Hauptsache ich traf mich mit Maga, das machte mich froh. Nach einiger Zeit aber merkte ich, das sie lieber nur einen guten Freund wollte, als mich zum Freund. Ich dachte ok, vielleicht will sie mit Männern nichts haben. Ich war verliebt, akzeptierte aber ihren Wunsch, was sollte ich sonst auch tun.

Wir unternahmen viel und kamen uns menschlich sehr nahe, sie erzählte mir viel von sich und ihrer zerrütteten Familie.

Eines Tage bemerkte ich an ihrem rechten Arm tiefe Schnitte, die mich sehr beängstigten. Sie waren sehr tief und verkrustet. Ich hatte keine Ahnung was das zu bedeuten hatte. Wir bekamen darüber Streit, weil ich mir Sorgen darüber machte was mit ihr los sei. Sie antwortete mir nicht darauf und ich konnte ihr nichts sagen, ich war ja nicht ihr Vater. Ich war nur ein Freund, der eigentlich „mehr" von Ihr wollte. Das „Mehr" bekam dann ein anderer, und plötzlich war Maga verschwunden.

Ich fragte Heike oder andere Bekannte immer wieder nach ihr, bekam aber keine richtige Antworten und so verlor ich Maga aus den Augen, obwohl ich sie tief in mein damals noch, großes und unbedarftes Herz geschlossen hatte.

Ich traf sie dann noch einmal nach ein paar Jahren in Hilden mit einem Kinderwagen. Sie sah katastrophal aus. Sie hatte ein blaues Auge und hatte abgerissene Klamotten an. Ihr Kind, Melina, sie war etwa zwei Jahre alt, sah auch nicht besser aus. Dieses Treffen hatte mich sehr schockiert und ich dachte, dass sie es vielleicht nicht schaffen würde, das Kind aufwachsen zu sehen. Sie war sehr abweisend und distanziert. Ich wollte nicht nachhaken und wir verabschiedeten uns unbeholfen von einander.

Erst vier Jahre später sollte ich sie wieder sehen. Ich hatte die Tragödie mit Liz gerade erst verkraftet und hinter mir gelassen. Ich hatte nicht damit gerechnet überhaupt jemanden zu treffen, der Platz in meinem Herzen hätte haben können, aber dann stand sie plötzlich vor mir. Wir trafen uns in der Fußgängerzone in Haan. Maga sah super aus. Nichts von dem Eindruck der letzten Begegnung war zu sehen. Wir standen da und sprachen miteinander als wäre nichts geschehen. Ihre Mutter war auch da. Sie kümmerte sich um

Melina, die mit ihren fünf Jahren in der Fußgängerzone herumflitzte und sich des Lebens freute. Die Oma rannte immer hinterher. Dies sah phasenweise sehr witzig aus.

Wir sprachen und sprachen. Geschlagenen zwei Stunden bewegten wir uns nicht vom Fleck. Es fühlte sich so an als wollte keiner von uns diesen ewigen Moment zerstören. Ich hatte eigentlich einen Zahnarzttermin. Aber was ist ein Zahnarzt? Es war magisch. Wir klebten aneinander, obwohl wir uns nicht berührten. Wir konnten und wollten einfach nur da sein und den anderen nicht mehr aus den Augen verlieren. Während ich das hier schreibe, fliessen meine Tränen. Es war wohl einer der schönsten Momente meines Lebens. Irgendwann sagte dann die Oma: „Wir müssen los." Ich bekam eine Panikattacke. Wie los. Ich wurde hektisch und fragte: „Hast Du ein Handy, Telefon, wie kann ich dich wieder finden, geh nicht weg, wann sehen wir uns wieder?" Sie freute sich das ich so „ahhhhhh" reagierte und sie gab mir alles was ich brauchte, um sie zu erreichen.

Nachdem wir uns verabschiedet hatten, fühle ich mich lebendig und hatte das Gefühl es könnte noch etwas gehen in meinem Leben mit der Liebe. Ich war euphorisch.

Nach einer Karenzzeit von zwei Tagen rief ich Maga an und wir trafen uns in einem schönen Café in Solingen Gräfrath. Wir sprachen die ganze Zeit ununterbrochen, es ging genau so weiter wie nach unserem ersten Treffen. Wir waren Seelenverwandte. Irgendwann nahm Maga meine Hand und legte sie auf ihr Herz. Sie sagte dabei: „Noch nie hat ein Mann mein Herz so berührt wie Du!" Wow, mir war leider nicht klar, das ein an Borderline mit posttraumatischem Stress-Symptom erkrankter Mensch das so nicht spüren kann. Mit neunundzwanzig war ich unerfahren im Umgang mit psychischen Krankheiten. Wenn ich es gewusst hätte was dies bedeutete, wäre es mir auch egal gewesen. Dieser Satz war so schön, das ich hätte zerfließen können.

Wir kamen zusammen. Melina liebte mich und nach dem wir einige Zeit zusammen waren, zogen wir als kleine Familie, in unser erstes gemeinsames Haus.
Nach und nach wurde mir klar, dass Maga psychisch angeschlagen war. Mit ihrer Äußerung: „Ich bin überhaupt nicht eifersüchtig, wenn Du mit mir alleine nicht glücklich bist, dann kannst Du auch ruhig noch eine Freundin haben." hatte sie mich schockiert. Ich bin ausgesprochen monogam und eine Beziehung zu entweihen, ist für mich gedanklich schon nicht möglich. Das Gegenteil von Maga's Worten war die Realität. Maga war durch ihre Krankheit extrem eifersüchtig und ein Kontrollfreak. Ich wurde überwacht in allen sozialen Medien, die ich besuchte, nur wusste ich nichts davon. Sie knackte meine Passwörter.

Ich merkte das erst nicht, da ich vollstes Vertrauen zu ihr hatte. Wenn ich mal außer der Reihe Geschäftlich unterwegs war, bekam sie Anfälle und wand sich vor Schmerz auf dem Boden.

Bei psychischen Ausbrüchen reagierte der ganze Körper. Sie hatte Krämpfe und Zuckungen, manchmal schilderte sie auch, das sie dass Gefühl habe, ihre Wirbelsäule löse sich auf. Es war unheimlich. Erst verleugnete sie ihre Krankheit. Nach vielen Gesprächen und auch nach der Drohung mich von ihr zu trennen, suchte sie sich einen Verhaltenstherapeuten und es wurde eine Zeit lang ruhiger in unserer Beziehung.

Wir heirateten und bekamen Zwillinge. Melina fand das erst super, zwei kleine Geschwister, Lily und Lennard zu bekommen. Als Melina klar wurde, dass sie jetzt die Aufmerksamkeiten ihrer Eltern teilen musste, veränderte sich das aber. Sie wurde eifersüchtig, obwohl sie die Zwillinge sehr liebte.

Unsere Beziehung litt immer mehr unter Maga`s Krankheit trotz, Psychologen. Wir versuchten unsere Probleme mit Rotwein und Joints zu betäuben. Das klappte nicht. Wir waren sehr unglücklich. Die Zeichen standen auf Trennung, auch wenn uns das noch nicht klar war.

Wir hatten versucht mit den Kindern unsere Ehe zu retten. Das war natürlich nicht möglich, unser Verhältnis wurde immer schlechter. Melina, die schon fünfzehn Jahre alt war, litt sehr darunter. Es tat mir unendlich leid. Wenn Melina nicht gewesen wäre, hätte ich Maga vermutlich schon früher verlassen, aber ich konnte Melina nicht alleine lassen.

Die Situation spitzte sich zu, als ich Liz wieder traf. 2008 wollte ich mich schon einmal beruflich verändern. Ich hatte mit dem Golfspielen angefangen und mich schnell auf ein einstelliges Handicap herunter gespielt. Golf ist ein komplexer Sport, der bei jedem Schwung fast alle Muskeln im Körper benutzt. Ich hatte verstanden wie Golf funktioniert. Psychologie, spielt neben der Körperlichkeit eine große Rolle.
Ich wollte mehr mit Golf anfangen und begann ich eine Ausbildung zum Golflehrer. Während dieser Zeit nahm Liz Kontakt über „Xing" mit mir auf. Maga kannte Liz schon, da wir gemeinsam Liz auf einer Party getroffen hatten. Wir führten ein oberflächliches Gespräch, aber im Inneren spürte

ich, dass ich mit Liz noch nicht abgeschlossen hatte. Maga spürte das auch.

Liz schlug mir vor, mit dem Golfwissen ein Coaching-Konzept zu entwickeln. Ich hatte damals keine Ahnung, was dies bedeutete, aber ich sagte Maga, dass ich gerne mit Liz darüber sprechen wolle.

Ich fuhr also nach Köln, wo Liz in einer Kellerwohnung wohnte. Wir sprachen über alles, aber nicht über Coaching. Die Verbindung, die sich vor zehn Jahren aufgebaut hatte, war noch vorhanden, und es war schwer für mich, Maga nicht mit Liz zu betrügen. Ich tat es an diesem Abend auch nicht.

Als ich nach Hause kam, war die Stimmung auf dem Nullpunkt. Maga hatte Melina erzählt, dass ich zu meiner neuen „Freundin" gefahren sei. Ich stritt das ab. Sie wusste schon früher als ich, dass mit diesem Treffen zwischen Liz und mir unsere Ehe beendet war. Ich hatte Angst alles zu verlieren, ich wollte Maga nicht verlieren, die tief in meinem Herzen einen großen Platz einnahm und heute noch einnimmt. Ich wollte Melina nicht verlieren, die mich aber immer mehr verachtete, da Maga sie mit Unwahrheiten triggerte.

Ich war hin und her gerissen, die Trennungsphase dauerte fast ein Jahr. Ich schlief im Wohnzimmer unseres riesigen Hauses. Wir sind in unserer zehnjährigen Ehe vier mal umgezogen. Zuletzt in ein Haus mit 230 qm. Es war also viel Platz vorhanden um sich aus dem Weg zu gehen.
Mit Liz hatte ich zwischenzeitlich Funkstille, nachdem ich mir den Bock überhaupt geleistet hatte.

Im Sommer 2008 war ich mit Maga und Melina zu einem Grillfest eines Freundes eingeladen. Das Fest begann um 16 Uhr. Ich trank viel und schnell. Maga wollte gegen acht 20 Uhr nach Hause fahren, ich konnte eh nicht mehr fahren und wollte noch nicht nach Hause. Maga fuhr mit Melina schon vor und ich blieb noch. Bei mir war um ca. 24 Uhr Zapfenstreich. Ich war voll wie eine Haubitze und wollte die fünf Kilometer, die es brauchte, ausnahmsweise zu Fuß nach Hause gehen.

Ich hatte wie immer mein Handy dabei. Ich dachte viel an Liz und rief sie mitten in der Nacht im besoffenen Kopf an.

Sie nahm ab und war sehr schläfrig. Sie hatte schon fast geschlafen und ihre Stimme klang wie das Singen der Engel. Ich machte ihr auf dem gesamten Weg nach Hause, es dauerte mehr als eine Stunde, die Liebeserklärung überhaupt und wollte mit ihr zusammen sein. Ich sagte, dass ich sie lieben würde, ich würde sie achten und alles besser machen als wer auch immer. Sie sagte mir, das ich verheiratet sei und eine Trennung von Maga nicht gut sei. Ich war anderer Meinung.

Am nächsten Morgen wurde mir klar, dass ich einen großen Fehler gemacht hatte. Ich stand nicht zu meinen Gefühlen und wollte meine Ehe irgendwie retten. Als Liz mich anrief, sagte ich ihr, dass es nicht gut sei, dass sie sich in mich verliebt hätte, ich drehte den Spieß um, hatte Panik. Ich traute mich nicht den letzten Schritt zu machen. Es ist ein großer Schritt, und er ist sehr schwer.

Ich verleugnete Liz vor Maga und vor mir, die Lawine kam trotzdem ins Rollen. Maga kontrollierte die Telefonverbindungen meines Handys und sah immer wieder die gleiche Nummer. Liz's. Maga rief Liz an und schrieb ihr SMS. Die habe ich nie gelesen, aber ich konnte mir vorstellen, was darin stand. Ich sah aus wie der Dorfdepp und war es auch.

Kennt Ihr diese Individuen, die sich diese Bezeichnung verdient haben. Sie fallen in einer kleinen Stadt immer auf. Man kann quasi auf ihrer Stirn geschrieben sehen: „Ich bin ein Depp". Ich war der größte Feigling auf dem Planeten. Was tat ich nur? Ich war völlig irrational. Ich wusste nicht mehr wo oben und unten war, hatte vollkommen die Kontrolle verloren.

Irgendwann etwa sechs Monate später, es war im Februar 2009, waren Maga und mir, endgültig klar, dass unsere Ehe beendet war. Endlich!

Es war eine Qual. Ich fühlte mich frei, aber auch schuldig. Aber ich vermisste Liz, die im Leben niemals mehr ein Wort mit mir reden würde. Ich hatte sie sehr verletzt. Ich hatte dafür gesorgt, dass sie sich in mich verliebte und ließ sie dann im Stich. Ließ sie alleine, mit einer Liebeserklärung, die keinen Pfifferling mehr wert war.

Unnötigerweise kam zu dieser Zeit auch noch dazu, dass ich große Mengen Blut im Stuhl hatte. Ich dachte, ich müsste jedes Mal, wenn ich Kacken ging, verbluten. Irgendwann ging ich zum Arzt, der mir eine Eilüberweisung für eine Darmspiegelung übergab. Jetzt war ich dran. Ich muss sterben. Krebs, oder was anderes.

Ich müsste also sterben. 42 Jahre alt, leider schon tot. Na, Pech gehabt. Was würden meine Kinder ohne mich machen? Die großen Lieben meines Lebens, würden ohne Vater aufwachsen.

Nur aufgrund dieses Umstandes, dass ich schon mit meinem Leben abgeschlossen hatte, traute ich mich, Liz eine Nachricht auf „Xing" zu schreiben. Ich schrieb ihr, dass ich ein Idiot sei, das ich dumm und dämlich gewesen sei, und das ich glaubte, vielleicht sterben zu müssen. Das hört sich theatralisch an, aber für mich war das Realität.

Sie antwortete nicht. Ich hatte das auch nicht erwartet, aber gehofft. Ich checkte jeden Tag meine Nachrichten. Nichts. Eine Woche später kam eine SMS auf meinem Handy unter dem Namen Jens bei mir an. Jens ist eigentlich der Vorname eines Kunden von mir und zuerst konnte ich nichts mit der SMS anfangen.

Der Inhalt der SMS war: „Ich könnte Dir eine reinhauen." Ich schrieb zurück „Warum". Die Antwort war „Weil Du ein Idiot bist." Nie hatte Jens so mit mir gesprochen und langsam klärte sich der Dunst in meinem Kleinhirn. Ich hatte Liz unter Jens abgespeichert, weil Maga ja alle meine Kontakte kontrollierte.

Liz schrieb mir. Mein Herz machte einen Sprung. Ich rief sie sofort an. Ich war höflich und süffisant. Ich war freundlich und frech. Ich war glücklich das ich noch einmal mit Liz sprechen konnte vor meinem Dahinscheiden.

Dann kam die Darmspiegelung. Die erste in meinem Leben. Ich kann nicht sagen, dass man dies öfter braucht, aber es scheint notwendig. Ich durfte einen Tag vor dem Termin nichts essen. Im Krankenhaus bekam ich von der freundlichen Schwester, ein Getränk, welches nach eingelegten Füßen mit Himbeergeschmack schmeckte und mich dazu veranlasste, den ersten halben Tag auf dem Scheißhaus zu sitzen um mir die Seele aus dem Leib zu kacken. Das hatte ich verdient, ganz bestimmt. Als nichts mehr in mir drin war, außer meinen Organen und was mein Körper sonst noch so zum Überleben brauchte, kam die Schwester und machte mich bereit für die Darmspiegelung. Ich bekam einen Saft der mich schlummern lassen sollte und legte mich auf eine Liege. Ich hatte ein Krankenhausleibchen an mit offenem Rücken. Von der Spiegelung an sich bekam ich nichts mit. Nur noch, dass mir der Arzt den Schlauch aus dem Enddarm zog als er fertig mit mir war. Das war wirklich toll. Nein, war es nicht. Die Diagnose, Darmpolypen, völlig ungefährlich. Eine Last von zehn Betonschuhen viel von mir ab. Ich rief Maga an, sagte ihr, dass ich nichts Schlimmes hätte, dann rief ich Liz an, das alles in Ordnung sei. Zwei Tage später traf ich mich mit Liz. Das dies möglich gewesen wäre, hätte ich mir nicht mehr träumen lassen. Ich musste um sie kämpfen, vier Monate, jeden Tag. Es war eine wunderbare Zeit. Ich war so kreativ wie nie. Ich machte mich so lang, wie ich konnte um sie immer wieder mit neuen Worten zu erreichen. Der Kampf hat sich gelohnt.

Seit dem 04. 07. 2009 sind wir offiziell ein Paar und sind es heute noch.

Die Selbstreflexion

Ich bin so ein Typ, der alles besser weiß. Nicht dieses Besser-Wissen, welches nicht fundiert ist, ich meine nicht, wenn man tagtäglich unsäglichen Scheiß labert ohne Inhalt und Sinn, Verstand und Geschmack, sondern das „Bessere Wissen".

Mein Wissen hat sich durch unbändiges Lesen von Büchern oder anderer Lektüre angereichert und aus Gesprächen mit Menschen, vor denen ich Respekt habe, die mir etwas vermitteln konnten. Das waren leider nicht allzu viele, aber immerhin. Ich liebe Philosophen, Wissenschaftler und Gelehrte. Menschen, die etwas mehr mitzuteilen haben außer: „Tja, was soll man machen?"

In Trivial Pursuit bin ich faktisch nicht zu schlagen, auch bei Quiz-Sendungen bin ich sehr stark. Diese Eigenschaft gepaart mit einer richtig großen Schnauze, übersteigertem Selbstbewusstsein und der Motivation gerne einen Spruch raus zu hauen, ist eine brisante Mischung.

Da kann es sich schnell mal von einer Thekendiskussion zu einer ausgewachsenen Schlägerei entwickeln. Vorher über Kant, Nietzsche oder Alan Watts diskutiert, nachher dafür gesorgt, dass schnell noch jemand die Nase gerichtet bekommt.

Schule

Ich habe eine gewaltbereite Seite. Durch das Dicksein in meiner Kindheit und der Pubertät wurde ich oft gehänselt. Als Kind kann man daran zerbrechen oder man wird stark. Ich hatte mich für das Zweite entschieden. Wenn mich jemand hänselte von den älteren Schulkameraden oder wenn sie mich herum-schubsen wollten, barg dies, ohne dass sie eine Ahnung davon hatten, ein großes Risiko. Ich war damals schon sehr emotional und hatte diese Emotionen nicht immer unter Kontrolle. Ich habe keine Angst vor körperlichen Schäden und auch nicht anderen welche zuzufügen. Mein Vater hatte mir einmal gesagt, das ich, wenn ich in eine Schlägerei verwickelt würde, mir immer den stärksten Typen aussuchen sollte, um ihn umzuhauen. Als ich in der achten Klasse war, hatte ich einen Lederkoffer als Schultasche. Auf dem Lederkoffer klebten, die damals in Mode gekommenen „Smiley" Sticker, die heiß begehrt waren bei allen Schülern, aber besonders bei denen aus der 10. Klasse. Immer, wenn wir die Unterrichtsräume wechselten, transportierten wir unsere Schultaschen vor den aktuellen Raum und gingen dann, zum Beispiel in die Pause, die Taschen waren unbeaufsichtigt. Nach der Pause hörte ich vor dem Schulraum ein Getöse und ich beeilte mich um zu sehen, was los war.

Als ich um die Ecke kam, sah ich wie drei aus der 10. Klasse sich über meinen Koffer hermachten, um die Sticker gewaltsam vom ihm herunterzureißen. Ich stand da und erfasste die Situation. Die anderen Mitschüler wurden ruhig als sie mich sahen, nur die drei Idioten, wie ich sie immer wieder gerne nenne, wenn ich diese Geschichte erzähle, nahmen mich nicht wahr.

Zu dieser Zeit hatte ich gerade die Bücher „Der Herr der Ringe" gelesen und wusste wozu Zwerge im Stande waren, nur das ich keiner von ihnen war. Ich setzte mich mit meinen, damals 100 Kilo Kampfgewicht in Bewegung, packte den Ersten, den ich greifen konnte an den Ohren und riss ihn von meinem Koffer weg, knallte seinen Körper mehrfach gegen die Wand und ließ ihn zu Boden gehen. Die anderen beiden drehten sich zu mir um und wollten auf mich los gehen. Den Zweiten traf ich mit voller Wucht mit meinem Knie in seinem Schritt. Er brach japsend zusammen. Der Dritte wollte weglaufen, aber ich ließ ihn nicht. Er war etwa einen Kopf größer als ich, aber er hatte solche Angst das er sich fast in die Hose gepinkelt hätte. Er flehte: „Es sind doch nur Sticker" ich sagte: „Ja, aber nicht Deine." und schlug ihm mit der ganzen Wucht, die meine 100 Kilo her gaben, meine rechte Faust auf seine kurze Rippe. Er sackte zusammen wie ein schlaffer Lappen.

Es war Mucksmäuschenstill. Wäre eine Nadel zu Boden gefallen, man hätte es hören können. Die drei Idioten verzogen sich mit schmerzverzerrten Gesichtern. Die Geschichte machte in der Schule die Runde und niemand, hat jemals wieder, dumm oder gehässig das Wort an mich oder meine Freunde gerichtet.

DRUPA

In der Zeit, als ich noch in der Firma meines Vaters gearbeitet hatte, waren mein Vater, meine Schwester, mein Bruder und ich auf einer Fachmesse der Druckindustrie, der DRUPA. Wir waren gut gekleidet in Anzug und Mantel. Da es schwierig war, einen Parkplatz zu finden, der nicht direkt vor dem eigenen Heim stand, um auf die Messe zu kommen, fuhren wir mit der S-Bahn nach Düsseldorf. Auf dem Rückweg wurden wir mit einer Horde Fussballfans in die Bahn gepfercht. Das war ein hübscher Kontrast, die Familie in Ausgehuniform und die Fans mit den Schals um den Hals und die meisten stark angetrunken. Ich war immer genervter vom Alkoholdunst und dem proletarischen Benehmen unserer Mitfahrer. Meine Schwester ist eine attraktive Frau mit langen Beinen. Sie hatte einen kurzen Rock mit blickdichten Strumpfhosen an.

Als wir die Bahn verließen, taten dies auch drei betrunkene Fans des FC Düsseldorf. Mein Bruder und ich waren von meinem Vater und meiner Schwester durch die Drei getrennt.
Ein Fan, er war der „Anführer" der drei, machte während des Weges vom Bahnsteig bis zum Ausgang des Bahnhof's immer mehr unverschämte und respektlose Bemerkungen gegenüber meiner Schwerster und meinem Vater. Ich will das hier nicht genau ausführen, aber ich fühlte mich immer mehr provoziert und hatte auch bald den „Kappes auf".
Die Fans wussten nicht, dass meine Schwester und mein Vater noch Rückendeckung von mir und meinem Bruder hatten.

Der „Anführer" kam meiner Schwester immer näher. Als er den Arm ausstreckte, um meine Schwester an die Schulter zu fassen, reichte es mir dann doch. Ich stürmte auf den Typen zu, riss ihn an seinem ausgesteckten Arm herum und verpasste ihm in sehr schneller Reihenfolge mehrere gut gezielte Kopfstöße. Ich hörte so lange nicht auf, bis ich sicher war, dass der Vogel außer Gefecht gesetzt war. Die anderen beiden schrie ich dabei an, das sie sich nicht bewegen sollten, wenn ich mit dem hier fertig wäre, würde ich mich um sie kümmern.

Der von mir traktierte „Anführer" war nicht mehr besonders mutig und heulte die ganze Zeit herum, was er denn getan hätte. Nach kurzer Zeit rief mein Vater: „Oliver, hör auf!"

Ich war wie im Tunnel, das war nicht meine erste Schlägerei. Im Gegenteil, ich war ein sehr geübter Strassenkämpfer. Nachdem sich die rote Farbe aus meinem Frontallappen aufgelöst hatte, sah ich um mich. Ich stand da in meinem schwarzen Mantel wie der „Highlander", der einen weiteren Kopf in seinen Trophäenbeutel stopfte. Ich hätte noch weiter machen können, war gerade erst auf Betriebstemperatur. Wo waren die anderen beiden. Ich sah sie an, mein Gesichtsausdruck musste sie wohl dazu veranlasst haben, schnell die Hände in die Höhe zu heben und einen Schritt zurückzuweichen.

Auf dem Bahngelände waren noch weitere Menschen, keiner sagte etwas. Mein Bruder konnte mich nicht unterstützen, was ja auch nicht nötig war, es zeigte nur, dass er aus einem anderen Holz geschnitzt war als ich. Ich beruhigte mich wieder. Der „Anführer" war zu Boden gegangen und blutete ordentlich aus der Nase. Ich gab ihm zum Abschied noch einen Blick, der klar machte, dass er Glück gehabt hatte.

Ich ging weiter zu unserem Auto, an dem schon meine Familie wartete. Mein Vater grinste und schüttelte den Kopf. Das Einzige was er sagte war: „Den hätte ich in deinem Alter mit nur einem Schlag zu den Boden geschickt" und schloss die Autotüre auf. Ich musste lachen, die Anspannung viel ab und wir fuhren nach Hause. Ich muss vielleicht noch ergänzen, das mein Vater in der Nachkriegszeit ein guter Amateurboxer gewesen ist. Trotz allem sah er in dieser Situation auch eine „Ich kann was besser als Du oder ich will was besser als Du können" Situation. Ewig diese Konkurrenz. Warum nur?
Es gäbe noch andere Szenen von ähnlicher Gewalt zu beschreiben. Will ich aber nicht. Ich möchte damit nur sagen, dass in uns viele verschiedene Seiten versteckt sind. Ich hatte keine Angst, die habe ich heute auch noch nicht. Meine Gewaltbereitschaft ist ein Synonym für meine Motivation, wenn es nötig ist, Gesetze zu brechen, oder ausser Acht zu lassen. In Kombination mit Alkohol, eine explosive Mischung. Heute weiss ich, beides ist keine Lösung.
Ich habe tatsächlich auch noch die Seite des Liebenden, Liebevollen, Emphatischen, Vernünftigen, Einsichtigen. Ich weine in emotionalen Situationen sehr schnell. Wenn ich den Film „Walter Mitty" sehe, weine ich 149 Minuten ununterbrochen. Bei „Interstellar" ist es ähnlich, der Film geht ganze 252 Minuten, sehr anstrengend. Ich habe ein weiches Herz, welches beschützt werden will. Jeder Mensch hat das, viele sind sich dessen nur nicht im Klaren oder wollen es nicht zulassen, haben Angst vor der Schwäche.

Wir sollten aufbrechen, um unser Herz und unsere Seele zu finden. Daraus könnte sich schließen lassen, dass ich eigentlich nur Aufmerksamkeit brauche, damit ich glücklich sein kann. Aber so einfach ist es nicht.

Menschen sind komplexe Kohlenstoffeinheiten, die ein Gehirn mit sich herum tragen, das schwerer ist, als der größte Muskel in unserem Körper. Sie sind ausgestattet mit einem Herz, Geist und einer Seele. Das ist jetzt nicht neu, aber vielleicht nicht Jedem wirklich bewusst. Denn wenn ich versuche, die Situation aus der Perspektive des Anderen zu sehen, dann sind Egozentrik und Egoismus obsolet.

Wenn wir also, dass angesprochene, riesige Gehirn wenigsten zu zehn Prozent nutzen würden, dann hieße das noch lange nicht, dass wir auch klug handeln würden oder sinnvoll dächten oder oder. Das hieße erst einmal, dass wir die Möglichkeit dazu hätten.

Erst meine große Liebe, und zweite Frau hat mir klar gemacht, dass ich durch mein Verhalten mein Gegenüber spiegele. Ich reagiere gerne auf eine sehr eindeutige Art und Weise auf meine Mitmenschen. Ich kompensiere quasi. Ich spüre die Menschen mit ihren Ängsten und Zwängen. Ich muss dann albern und laut werden, damit ich die Situation ertragen oder entschärfen kann, dabei rutschen mir schon mal so richtig dämliche Kommentare oder Bemerkungen aus meinem mit gepflegten Zähnen gefüllten Schandmaul.

Tante Änne

Nachdem ich etwa ein halbes Jahr mit Liz zusammen war, wollte sie natürlich auch, dass ich ihre Eltern und die buckelige Verwandtschaft kennenlerne. Ihren Bruder kannte ich ja schon. Leider hat der mich nach unserem Auseinandergehen gehasst. Keine Ahnung, aus welchem Grund, damals nicht. Heute weiß ich, dass ich ihn mit meiner Dominanz erdrückt habe. Mit meiner Persönlichkeit zerquetscht durch unkontrolliertes Verhalten. Ich drückte aufs Tempo wo er nicht anders konnte als langsam zu sein. Eigentlich wurde er nie fertig mit den Songs, die wir komponiert hatten. Das machte mich fertig. Ich hatte ja viel Geld in das Studio investiert. Ich wollte natürlich auch Geld verdienen. Das war leider nicht möglich.

Irgendwann war halt Schluss. Franky verabschiedete sich nicht mal. Er kam in meine Wohnung als ich nicht da war, holte seine Klamotten und verschwand. Zurück zu Tante Änne.

Ich bin vor familiären Terminen immer etwas aufgeregt, man will ja nicht, beim ersten Zusammen treffen gleich total verkacken.

Mit meinen Kindern wurde ich zum 70. Geburtstag meiner Schwiegermutter, die sie erst noch werden sollte, eingeladen. Da ich aus besagten Gründen, nicht oft eingeladen wurde, hatte ich mich sehr gefreut. Das Einfamilienhaus ist klein und gemütlich, das Wohnzimmer wurde 1981 das letzte Mal renoviert. Die Couchgarnitur war damals noch nicht zersägt, um noch mehr Bücher, in dem schon viel zu überfüllten, kleinen Raum, der sich Wohnzimmer nennt, zu verstauen.

Gegen Bücher habe ich nichts, ganz bestimmt nicht, nur wenn sie dafür sorgen, dass man sich wie in einem literarischen Knast vorkommt, dann könnte man vielleicht darüber nachdenken, räumlich etwas zu verändern.

In diesem Wohnzimmer steht ein Esstisch an dem irgendwie acht Personen Platz finden. Ich begrüße alle Familienmitglieder freundlich und meine Frau war froh, dass mir, nach ganzen zehn Minuten, noch kein Fettnäpfchen untergekommen war. Die Atmosphäre war freundlich und locker. Alle waren wohl auf. Es gab Kaffee und Kuchen. Der Tisch wurde festlich mit Kerzen gedeckt.
Die Schwester meiner Schwiegermutter fehlte noch und alle warteten gespannt auf sie. Ich muss dazu ergänzen, dass meine Schwiegermutter und ihre Schwester total dicke miteinander sind und fast jeden Tag irgendwie zusammen hocken. Kein Wunder, dass mein Schwiegervater ein Verhältnis zu seinen Büchern angefangen hat, das so weit reicht, dass er, Jahre später, die Dreiercouch auseinander gesägt hat, um mehr Platz für seine Bücher zu schaffen. Ist doch egal wo die anderen sitzen, Hauptsache der Opa Joseph hat es gemütlich mit seinen Büchern. Ich schweife ab. Nach einiger Zeit und ein paar Tassen Kaffe später, kam Tante Änne endlich an und begrüßt mich herzlich. Ich sehe sah an und mir rutscht nichts besseres raus, als: „Ja, ja! Hallo! Wir kennen uns doch aus dem Swingerclub!"
Sagt man so etwas zu einer fünfundsiebzigjährigen Tante, die niemals verheiratet war und ja irgendwie auf ihre Kosten kommen musste? Hatte ich vergessen zu erwähnen, dass ich gerade in einem lutherisch, christlichen Haushalt zu Besuch war, in dem häufig Kirchenlieder gesungen wurden, meistens zweistimmig?

Zurück ins Wohnzimmer. Meine Schwiegermutter hatte ihren Kaffee wieder in die Tasse gespuckt, Liz verlor jegliche Kontrolle über ihre Gesichtszüge, Opa Joseph erstarrte und meine Schwägerin sprach einfach weiter, mit wem konnte ich nicht feststellen, da alle anderen ja irgendwie anders beschäftigt waren. Nur Tante Änne hatte meinen geistigen Erguss nicht gehört, sie hat ein Hörgerät, dass wohl zu diesem Zeitpunkt nicht so richtig gut funktionierte. Gibt es einen Gott? Ja den gibt es.

Mir war das irgendwie überhaupt nicht peinlich. Im Gegenteil, ich fand den Spruch so richtig witzig und musste als Einziger auch so richtig darüber lachen. Meine Frau versuchte mich mit einem scharfen Blick wieder zu Räson zu bringen. Ich dachte, was ist los mit Euch. So ein wenig Humor in der gefühlt, evangelischen Kirche, ist doch immer willkommen. Es wird gesungen und gelacht, da macht man doch gerne mal einen Scherz. Ich machte mir etwas vor, irgendwie wurde mir klar, dass dann doch etwas schief gelaufen war. Langsam wurde ich ruhiger, bis ich endlich sehr sehr ruhig war und mein schlechtes Gewissen sich meldete. Ich hatte es also wieder geschafft, reingetreten in mein Fettnäpfchen, dabei macht mir das so große Freude, wenn ich meine Mitmenschen aus ihrer Komfortzone locken kann. Ist nur die Frage, ob es immer sinnvoll ist, so wie in dem nächsten Beispiel.

Übrigens, mein Schwiegervater, der dieses Buch lektoriert hat, merkte in der vorangegangenen Geschichte an, dass die Witze über die man nur selbst lachen kann, meistens schlecht sind. Möglicher weise, es kommt immer auf die Sicht des Betrachters an.

Franky

Um die nächste Geschichte meines „Elefanten-Porzellan-Laden- Verhaltens" zu erklären, muss ich auf Vorkommen von einigen Volkskrankheiten zurückgreifen, die ich bei Wikipedia gefunden habe. Diese Krankheiten hat, glaube ich jeder Mensch, mehr oder weniger, also gefühlt.

Ich weiß nur noch nicht, ob mir das Angst machen, oder ob ich mich einfach einreihen, mich wohl fühlen sollte in der molligen Decke des Irrsinns.

Auszug Wikipedia: Die **Depression** (von lateinisch *deprimere* „nieder drücken") ist eine psychische Störung. Ihre typischen Zeichen sind beständig und eingeengt negative Stimmungen und Gedanken, Verlust an Freude, Lustempfinden, Interesse und Antrieb, Verlust an Selbstwertempfinden, an geistiger Leistungsfähigkeit und an Einfühlungsvermögen. Diese Symptome, die auch bei gesunden Menschen zeitweise natürlich auftreten, sind in der Depression unverhältnismäßig verfestigt, dauerhaft und von den Betroffenen vermindert beeinflussbar. Franky, leidet unter der, bei Wikipedia gefundenen psychischen Krankheiten. Jetzt wird mir auch langsam klar, warum er mich damals, ohne ein Wort, „verlassen" hat, also in unserer gemeinsamen Zeit und Kooperation als Musikproduzenten. Er trug etwas in sich, was sich mit meiner Mentalität einfach nicht verbinden lassen konnte.

Ich kann sagen, er hasste mich sehr und dieser Hass verstärkte sich noch, als er erfahren hatte, dass sich seine Schwester endlich in mich verliebt hatte. Ich dachte, dass er mental und auch körperlich, im symbolischen Sinne,

„kotzen" musste. Er warnte Liz öfter als nötig davor, sich mit mir einzulassen, ich wäre ein gefährlicher Mensch, ohne zu ahnen, wie recht er damit hatte. Für ihn selbst, war ich niemals gefährlich. Im Gegenteil ich hatte ihn sehr lange finanziell und auch mental unterstützt und beraten.

Der Spruch: „Lass dich nicht verhöhnen", war mehrfach gefallen und das war die harmloseste Form des Hetzens.

Meine Frau hatte dies zwar bemerkt, aber unsere Liebe war stärker als die hetzerischen Worte ihres Bruders.

Ich möchte damit sagen, dass das Verhältnis zwischen Franky und mir sehr fragil und ohne Vertrauen war.

Nach einigen Jahren der Beziehung zu Liz, es müssen so drei oder vier Jahre gewesen sein, hatte Franky nicht mehr so viel Angst vor mir und mehr Vertrauen gefasst. Es kam der Zeitpunkt, an dem ich mit Liz, Franky von zu Hause abholte um ihn irgendwo hinzubringen.

Das Ziel unserer Reise ist für diese Geschichte hier uninteressant und ich weiß tatsächlich nicht mehr genau, was der Anlass für diese Aktion gewesen ist.

Ich bin ein Mensch, der eher hart zu sich selbst ist und gerne verdrängt, und so geht es mir auch mit Krankheiten und anderen Dingen. Ich entspreche nicht dem Klischee: Männer wären so leidend, wenn sie krank wären. Meine Frau widerspricht dem aber.

Mein Schwager hatte durch seine Krankheit, die er schon viele Jahre, ohne es zu wissen, mit sich herumgeschleppt hatte, eine körperlich Fehlhaltung entwickelt, die zu einem schmerzhaften Rückenleiden führte.

Da kommt mir dann wieder der weise Satz, „das Körper, Geist und Seele eine Einheit bilden", in den Sinn.

Das Resultat war ein Bandscheibenvorfall erster Güte und mein Schwager war kaum in der Lage, die Treppen zu seiner Wohnung in die zweite Etage hinauf, sowie auch die selben Stufen hinunter zu bewältigen, leider hatte mich von diesen Umständen, niemand in Kenntnis gesetzt. Kann auch sein, dass ich es einfach vergessen hatte. „War ja nicht so wichtig!"

An diesem Tag, als meine Frau und ich zu dem Haus meines Schwagers fuhren, sagte Liz zu mir, dass ich bitte unten warten sollte, um meinen Schwager nicht zu stressen. Ich dachte: „Ich stresse doch nicht, ich bin doch ein einfühlsamer, emphatischer Mensch", machte aber ein lustiges Gesicht und tat, wie mir geheissen.

Ich wartete geduldig vor der Haustüre auf der Strasse bei sechs Grad Celsius im Nieselregen.

Kennt Ihr diesen Regen, der gemein, ganz leicht, eiskalt, jedem warmen Körper, jegliche Temperatur entziehend herum weht. Quasi der „Dementor" der Regenformen? Ja, genau so ein Regen ist das gewesen. In der Konsequenz fing ich schnell an zu frieren.

Was man nicht alles auf sich nimmt für die Liebe seines Lebens und deren buckelige, gestresste Verwandtschaft. Meine Laune war nicht zum Besten bestellt, als sich nach ca. zwanzig Minuten die Haustüre öffnete und meine mitfühlende Frau und ihr gehbehinderter Bruder auf dem Bürgersteig erschienen. Meine Geduld war leicht erschöpft und als ich meinem Schwager ins Gesicht schaute, entfleuchte mir ein :"Mein Gott siehst du Scheiße aus".

Meiner Frau fiel die Kinnlade auf ihr Schlüsselbein und mein Schwager begegnete mir mit einem bleichen, entsetzten Gesicht, ohne mich zu umarmen, oder auch irgendwie zu begegnen, geschweige denn zu sprechen. Ich reichte Franky meine Hand, er übersah sie vorsätzlich, was meine Erscheinung so aussehen ließ, als wollte ich auf dem Bürgersteig den Verkehr regeln.

Die beiden setzten dann in Zeitlupe den Weg zu meinem Auto fort, ohne mich eines weiteren Kommentars oder Blickes zu würdigen. Meine nächste intelligente Aussage war:" Was?!"

Nach gefühlten zwei Monaten, die Distanz von Haustüre zum Auto betrug etwa vierzig Meter, erreichten wir zusammen mein Auto. Ich sagte Franky er solle doch hinten einsteigen, worauf Liz demonstrativ versuchte Franky auf den Beifahrersitz zu setzten. Ich stieg unterdessen schon mal ein und startete den Wagen und schaltete die Sitzheizung ein, mir war ja schliesslich kalt.

Die Prozedur, die Türe zu öffnen, die verschiedenen ungelenken Anläufe Franky's, Liz ihn dabei stützend, schiebend, streichelnd, tröstend, ächzend in das Auto zu bugsieren, ein Bild für die Götter. Ich musste mir ein herzhaftes Lachen verkneifen.

Liz wurde immer ärgerlicher und schickte immer bösere Blicke zu mir rüber. Dann brach es aus ihr heraus: „Mann Du Arsch, jetzt hilf doch mal!"

Ja, ein innerer Reichsparteitag öffnete gerade seine Pforten. Ich wurde gebraucht. Also stieg ich aus, und öffnete die Türe hinter dem Beifahrersitz. Dann hielt ich Franky vorsichtig an den Händen und ließ ihn langsam, rückwärts, mit dem Po voraus auf den Sitz sinken bis er ganz im Fond zum Liegen kam.

Wenn ich eine Kamera dabei gehabt hätte, es wäre die Doku des Jahres geworden. Vielleicht auch mit Auszeichnung beim Sundance Filmfestival. Gesprochen wurde dabei nicht. Also eher ein Stummfilm. Ich scherze.

In Wahrheit, hatte ich mich innerlich ziemlich aufgeregt, weil ich mich schlecht behandelt gefühlt hatte. Ja, was denn!? Ich war halb erfroren und nass! Wieso sollte ich vor der Türe warten. Ich hätte auch im Hausflur oder im Auto warten können.

Nachdem mein „Schatz" und ich wieder alleine waren und sich die Gemüter beruhigt hatten, ich kann Liz nicht lange böse sein, erzählte sie mir: „Franky hat sich Stufe für Stufe, die Treppe runter gequält und gekämpft, mit Tränen in den Augen, weil er so große Schmerzen hatte, dass er fast ohnmächtig geworden wäre. Ich fragte dann: „Was hat Franky denn nun?"

Liz: „Hab ich Dir das nicht gesagt, Franky hat einen Bandscheibenvorfall." „Ah" sagte ich: „Diese Information hätte ich gut gebrauchen können, als sie noch wertvoll für mich gewesen wäre. Vielleicht, aber nur vielleicht wäre mein Verhalten ein anderes gewesen."

Liz sah mich verständnislos an und sagte: „Sei still Holzkopf!"

Das hat man dann davon, wenn man hart zu sich selbst ist. Ich kann frieren und nass werden. Aber das Weichei bekommt den Keks. Wieso musste ich vor der Türe warten, anstatt im Auto? Schrie es laut und einsam in meiner Hypophyse!

Wie auch immer, es war deutlich zu sehen, dass es mir etwas an etwas fehlte, sonst hätte ich wohl anders reagiert und darauf geachtet, dass es eine Verhaltensform gibt die man Empathie nennt. Ich hatte nur noch nie davon gehört, glaube ich.

Es kann sein, dass es Euch seltsam vorkommt, dass ich dies alles erzähle, aber es hat tatsächlich einen Sinn. Ich hatte ja keinen Führerschein, ich hätte mich ohne Probleme als Fahrer bei einem Security Dienst oder als Panzerfahrer beworben. Den Mumm Liz davon zu erzählen hatte ich nicht. Sonst aber eine große Schnauze.

Alfredo

In meinem ersten Leben, Ihr wisst noch, war ich in der Druckbranche tätig. Ich war selbständig und hatte das marode Unternehmen meines Vaters übernommen, welches mein Bruder und meine Schwester sukzessive in den Abgrund geführt hatten. Ich war, bevor ich wieder in die Druckbranche einstieg, ein paar Jahre zuvor ausgestiegen, um mich kreativ zu verwirklichen und produzierte Musik, in den Anfängen der Goldgräber Zeit des „Dance und House", in den 90er Jahren. Ich bemerke ich wiederhole mich.

Da ich mir in den 2000er Jahren dachte, so Junge, du wirst jetzt Vater und hast mit Fug und Recht 2003 deinen Führerschein verloren, da kannst du ja bodenständig werden und deine Energie in die noch flach atmende Firma stecken, die sie wirklich dringend nötig hatte. Meine Geschwister hatten mich tatsächlich gefragt, ob ich wieder in die Firma einsteigen wollte.

Sie hatten den richtigen Knopf bei mir gedrückt, und ich wollte wissen, ob ich noch was drauf hätte. Ich hatte auch nichts anderes zu tun.

Ich entwickelte also neue Konzepte und war damit, oh Wunder, erfolgreich. Leider wurde mir, trotz des Erfolges, irgendwann klar, dass ich kein besonders stetiger Mensch war, sondern einer, der Abwechslung brauchte. Ich bemerkte aber auch noch etwas anderes. Ich wollte keine Verpflichtungen für andere Menschen tragen. Mitarbeiter gehören ja bekanntlich zu einem Unternehmen dazu, also wenn die Mitarbeiterzahl größer als eins ist. Dies klingt für euch vielleicht verwerflich, habt Nachsicht mit mir.

Ich fühlte mich nach einiger Zeit gefangen und an meinen Bürosessel festgekettet. Ich spürte einen, jeden Tag stetig größer werdenden Druck. Dazu kam, dass Maga, jeden Schritt von mir überwachte.

Die Scheidung war gut für mich und meine Familie mit unseren wunderbaren Kindern. Heute sind wir, nach langem Kampf und viel Geduld, eine vorbildliche Patchwork-Familie. Liz, mit der ich unglaublich glücklich bin und die mir meinen Kopf so oft gewaschen hat, dass ich immer blonder, aber nicht blöder wurde, ist in der Film- und TV Branche tätig. Also Fernsehserien und Filme.

Als wir uns wieder getroffen hatten, sagte sie zu mir, dass sie glauben würde, dass sich meine Kreativität in meinem jetzigen, beruflichen Handeln, nicht entwickeln könne und ob ich mit ihr, so nebenbei, ein paar Imagefilme für Hotels in Sizilien machen könnte.

Da ich früher schon mal eine Filmkamera in der Hand gehabt hatte und mit meinem, mittlerweile verstorbenen, Freund Berengar Pfahl, eine Doku über zwei Typen in Krefeld gedreht hatte, die jedes Jahr zu Weihnachten eine Eisbahn mit Verkaufsbuden, aufbauten, sagte ich klar, aber erst muss ich eine Lösung für die Firma finden. Sie traf bei mir genau den richtigen Nerv. Ich wollte etwas Neues, und dies war meine Chance. Ich hatte vorher schon immer mal wieder vorgefühlt, wer sich für die Firma interessieren könnte. Also verkaufte ich, sagte meinen Mitarbeitern Lebewohl und machte mich auf in neue Gefilde des Daseins.

Ein solches Gefühl ist wunderbar. Das Leben noch mal von vorne zu beginnen und das zusammen mit der schönsten und tollsten Frau der Welt. Was für ein Glück!

Ich stellte mich gut an mit der Kamera und meine Frau sagte mir, was ich drehen sollte.

Zum Glück war ich schon immer ein Autodidakt. Ich habe ein hohes technisches Verständnis und kann mich schnell, zum Beispiel in neue Computerprogramme einarbeiten. Das liegt wohl daran, dass ich in meiner Ausbildung als Schriftsetzer und Lithograph viel Grafikdesign gemacht hatte und mir die Firma Apple schon seit 1990 geläufig ist.

Wir besorgten uns „Final Cut" für Filmschnitt und schon saßen wir am Laptop und schnitten die Filme, die wir vorher zusammen gedreht hatten. Auch hier lernte ich viel von meiner Frau. Wie man schneidet und wie man einen Spannungsbogen aufbaut, zum Beispiel.

Wir drehten ein paar Filme, so richtig erfolgreich waren wir leider nicht, das frustrierte uns. Das zweite Problem war auch, dass wir die Kinder immer wieder bei uns hatten. Denn Maga war emotional sehr instabil und konnte nicht dauerhaft gewährleisten das sie die Kids gut versorgen könnte.

Irgendwann wollte Liz wieder in ihrer alten Firma arbeiten und sie sagte zu mir, ich solle doch auch dort arbeiten. Ich kannte mich nicht aus und sie bewarb sich bei der „TV-Pool", ihrem auch heutigen Arbeitgeber. Sie kannte dort noch viele wichtige Leute, mit denen sie früher schon zusammen gearbeitet hatte. Einer war Alfredo, ich erwähnte ihn schon, er hat sie dann quasi wiederentdeckt. Es wurde gerade ein revolutionäres Scripted-Reality-TV-Format produziert und dafür brauchte die Produktionsfirma einen Schauspielcoach. Sie wurde engagiert und verdiente unglaublich viel Geld. Ich hingegen hatte nicht das Selbstbewusstsein, mich bei einer Firma in diesem Gewerbe zu bewerben, was ich auch noch nie getan hatte. Ich dachte, ich würde sofort erkannt als einer, der keine Ahnung hat.

Ein Jahr später, ich hatte durch Liz viel von der Arbeitsweise im TV Geschäft erfahren und gelernt, kam dann die Nachfrage nach Realisatoren für eine neue Actionserie. Ein Realisator ist eine Art Regisseur in Lightversion. Sie haben künstlerische Freiheit am Set, können sich aber die Schauspieler und das Drehbuch nicht aussuchen.

Genau mein Ding, dachte ich und wurde für das neue Projekt engagiert, weil Liz das blaue vom Himmel gelogen hatte, was meine Kompetenz anging. Ich bin wie gesagt, Autodidakt und so sprang ich ins kalte Wasser und lieferte voll ab.

Ich arbeitete so gut, dass der Geschäftsführer, also Alfredo, auf mich aufmerksam wurde und zu mir ans Set kam, wenn ich arbeitete. Ich glaube er fand wirklich gut, was ich tat und wie ich arbeitete. Ich hatte allerdings auch einen supercoolen Typen als Schauspieler am Set. Carsten Stahl. Über Carsten alleine könnte ich schon ein Buch schreiben. Was alles am Set passiert war und wie sich hinter den Kulissen gezofft wurde, war wirklich mehr als unterhaltsam. Vielleicht schreibe ich eins darüber. Wie auch immer, ich glaube ich wiederhole diese Phrase häufiger, also wie auch immer, begrüßte mich der Geschäftsführer Alfredo mit einem Handschlag und ich knallte ihm bei diesem ersten Treffen meine linke Hand so heftig auf seine, nur von einem dünnen, hellblauen Hemd, geschützte Schulter, das er sich einen Schmerzensschrei deutlich verkneifen musste. Ich glaube, dass hat er mir nie verziehen. Auch hier könnte es sein, dass ich nicht angemessen reagiert hatte. Ich meine, ich bin ein Typ, der sofort blickt wenn ein Mensch in der Hackordnung über mir steht. Alfredo hätte es wohl gerne gesehen, wenn ich auf die Knie gesunken wäre und seiner Heiligkeit gehuldigt hätte. Er stand aber nicht in der Hackordnung über mir, er hatte nur eine höhere Position im Unternehmen und ich war ein Rookie, der sich als Spezialist verkaufte. Deshalb passieren mir solche Dinge. Ich fand ihn eigentlich sympathisch, aber wieso war der Geschäftsführer und nicht ich. Ich wollte eigentlich demütig sein, aber wenn mich der Ehrgeiz packt, dann will ich mehr, natürlich nicht so brutal. Das ist wohl normal bei mir aber auch sehr beängstigend, wie schnell ich von einem Anfänger der eine Chance bekommt, zu einem schulterklatschenden Idioten werden konnte. Das Ende vom Lied war, dass er mich einige Zeit später rausgeschmissen hat, weil er Angst vor mit bekommen hatte und geil auf meine Frau war.

In der Zeit als Realisator fuhr ich jeden Tag nach Köln zur Arbeit gefahren. Hundert Kilometer am Tag, zusätzlich noch die Set-Wechsel. Manchmal fuhr ich auch während des Drehs durch die Szene oder inszenierte Verfolgungsjagden. Immer schön am Steuer und ohne Führerschein. Was für Irrsinn!

Die MPU

Psychologen arbeiten nach genau erlernten Mustern und Profilen. Sie betrachten dabei nicht dein Geschlecht, deinen gesellschaftlichen Stand, deine Bildung oder andere Merkmale, die Dich ausmachen und vielleicht von der Masse abheben. Außer man ist vielleicht ein Charles Manson. Aber selbst da würden die Verkehrspsychologen der MPU-Vorbereitung nur bedingt Ausnahmen machen. Der gemeine Verkehrspsychologe ist eine sehr klar definierte Form der menschlichen Spezies. Für einen Außenstehenden haben sie scheinbar keine Fehler und auch keine Schwächen.

Darum geht es auch nicht, wenn man einen solch Kompetenten konsultiert, es geht wohl eher darum die eigenen Fehler und Schwächen mitzubringen und offenzulegen.

Das liest sich so einfach, wenn es hier geschrieben steht, aber es war die Hölle für mich.

Warum muss ich zu einem Psychologen, warum muss ich, der ein gestandener Mann, Unternehmer mehr oder minder erfolgreich, und immer ein guter Berater für seine Freunde und Geschäftspartner war, jetzt zu so einem Psycho-Fuzzi gehen, der meine Seele mit einem stumpfen Löffel aus mir rausschälen will? Meine Bereitschaft mir einzugestehen, dass ich Hilfe brauche, Hilfe von einem völlig Fremden, der mit einer heißen Nadel in meinem Geist herumstochern soll, damit ich verstehe was ich falsch gemacht habe, um ein nachhaltiges Umdenken bei mir auszulösen, war zu diesem Zeitpunkt noch ausbaufähig.

Was soll die Scheisse?

Warum bin noch mal hier? Ach ja, ich habe seit zwölf Jahren keinen Führerschein. Also Mund abputzen weitermachen.

Der Verkehrspsychologe

Als Erstes entschied ich mich für ein verkehrspsychologisches Institut in der Stadt, in der ich arbeitete und machte einen Termin zum Test- oder Erstgespräch. Mein Ansprechpartner war ein Herr Ehrlich. An dem Tag des Termins war ich sehr aufgeregt, ich wusste ja nicht, was auf mich zukam. Es konnte aber nicht schlimmer sein, als der Brief vom Staatsanwalt und deshalb war ich demütig.

Das Büro war in einem sehr nüchternen Beton-Bauwerk aus den 60 Jahren untergebracht. Es hatte von Außen eine gewisse Stasi Atmosphäre. Am Eingang standen einige Mitmenschen herum. Sie rauchten, und ich dachte, die wüssten genau, warum ich hier war.

„Na endlich, da ist er ja, der Typ der besoffen gefahren ist und nachher noch ohne Lappen. Jetzt bekommt er doch noch, was er verdient hat." flüsterten sie. So war es natürlich nicht, aber meine Schuldgefühle machten sich lautstark bemerkbar.

In dem Gebäude war, unter anderem, auch noch eine Behindertenwerkstatt untergebracht und ich wollte einfach einige der Figuren dort hin interpolieren. So fühlte ich mich mental einfach etwas besser. Als ich in der zweiten Etage, an der Türe des Verkehrs-Erziehungs-Institut klingelte, öffnete mir ein kleiner, schmaler Mann mit dunklen Haaren und Eierkopf auf. Ich konnte nicht sagen, dass er mir auf den ersten Blick sympathisch war. Egal, ich wollte keine Freundschaften schliessen, ich wollte meinen Weg gehen oder besser fahren. Aus diesem Grund war ich hier. Ich stellte mich vor und der Mann sagte, dass er für mich zuständig sein würde.

Herr Ehrlich bat mich noch einen Augenblick Platz zu nehmen und zeigte auf den Warteraum, in dem noch ein Mensch saß. Der Mensch sah so aus, als ob er gerade noch die letzten Tropfen aus seiner Wodkaflasche gesaugt hätte, um sich dann bei seinem psychologischen Gespräch Absolution erteilen zu lassen.

Mit einem kurzen Nicken grüßte ich den Mann mit der Fahne, die an keiner Leine hing oder an diesen typischen Holz- oder Plastik-Stäbchen verklebt war, um sie an einem Parteistand der hiesigen politischen Institutionen zu schwenken oder wenn der zukünftige Bürgermeister an einem vorbei schritt.

Nach zehn Minuten im Warteraum, mit Mief, kam aus dem Büro von Herr Ehrlich ein anderer Klient mit gesenktem Haupt und verschwand schnell aus dem Etablissement. Herr Ehrlich sagte zu mir: „Noch fünf Minuten, was für mich als wartenden Klient bedeutete, das ich durch   Einatmen von Alkoholdünsten eventuell berauscht in das Gespräch gehen würde, wenn ich am Status quo nichts änderte.
Ich stand auf und öffnete ein Fenster, um der frischen Luft den Zugang zum Warteraum und auch zu meinem Gehirn zu ermöglichen. Nach fünf Minuten kam tatsächlich Herr Ehrlich und signalisierte mir, dass ich jetzt an der Reihe wäre, um mich bei ihm zu erleichtern. Ich verstand nicht recht, da ich vorher schon die Toilette gesehen hatte und das

Büro von Ehrlich ja auf der anderen Seite des Gangs war und ging davon aus, dass er mir sagen wollte, dass ich mich geistig öffnen sollte, alles andere wäre irgendwie surreal.

Ehrlich gesagt, es stand mir auch nicht der Sinn nach Natursekt-Spielen. Ich musste auch nicht und von einer Urinprobe hat mir bei einem Erstgespräch am Telefon niemand etwas mitgeteilt. Ich zog meine Jacke aus und hängte sie über den Stuhl, der mir angeboten wurde. In dem nüchtern eingerichteten Raum wartete ich darauf, dass Herr Ehrlich seinen Papierkram ordnete. Als Erstes kassierte Ehrlich 45 Euro von mir ab, die immer vor dem Gespräch fällig waren. Die Stunde kostet eigentlich 90 Euro, aber weil es ja ein Testgespräch war, wurde mir der Einstieg zur MPU Vorbereitung etwas leichter gemacht. Hat was von einem Drogendealer: „Der erste Schuss ist umsonst!" Ich war sehr freundlich und lächelte Ehrlich an. Er erklärte mir, dass ich mit meinem sympathischen Lächeln hier nicht weiter kommen würde, nur die Klarheit in meinen Aussagen und ein Umdenken sowie eine Verhaltensänderung würden in Zukunft dafür sorgen, dass ich eine Chance hätte meine Fahrerlaubnis wiederzuerhalten. Ich dachte, was für ein netter Mensch. Ich hatte nicht damit gerechnet, dass es gleich so hart zur Sache gehen würde und versicherte, dass ich nicht hier wäre, wenn ich nicht den Ehrgeiz hätte, etwas an meinem Verhalten zu ändern. Ich fühlte mich irgendwie ertappt, denn mein Lächeln und meine positive Ausstrahlung halfen mir oft in, schwierigen Situationen. Nachdem das klar gestellt war, wusste ich woran ich war. Wir begannen eine Unterhaltung, in der ich erzählte, was ich alles schlimmes gemacht hatte. Wenn ich etwas vergessen hatte, dann zog er meine Strafakte hervor, die er vorher vom Straßenverkehrsamt zu gesendet bekommen hatte und fragte nach, was ich vergessen haben könnte.

Ich spürte, dass Herr Ehrlich, der mir erst sehr unsympathisch erschien, gar kein schlechter Typ war, und wir kamen uns im Rahmen der Umstände näher. Er fragte mich nach meinem Beruf, meiner familiären Situation und meiner Vergangenheit. Mir wurde schnell klar, dass es nicht mit ein paar Stunden Psychogespräch getan wäre. Hier war ein Seelenstriptease notwendig, um meinem Treiben auf den Grund zu gehen, ihm den Garaus zu machen.

Ich hatte entschieden, dass Ehrlich der richtige Mann dafür war. Er erzählte mir, dass viele Menschen auf diesem Stuhl gesessen hätten, um sich noch stundenlang etwas vorzumachen. Es bringt nur etwas wenn man sich im Klaren ist, dass man ein Problem hat. Dieses Problem soll hier behandelt werden um es aus der Welt zu schaffen.

Nach dreißig Minuten war mir klar, dass ich über meine Vergangenheit schreiben wollte. Dieser Gedanke war auch der Ursprung für dieses Buch.
Nach der Stunde, die nur 45 Minuten lang war, verabschiedete ich mich mit den Worten, dass ich gerne wieder kommen und für den nächsten Termin gerne etwas schreiben würde, um es ihm dann vorzulesen. Er war freudig überrascht. Wir machten für die nächste Woche eine Doppelstunde aus. Ab jetzt waren 14-tägig 180 Euro für den Verkehrspsychologen fällig.

Hier meine ersten Gedanken die ich nach dem Gespräch festgehalten hatte.

Trinken gehörte bei uns in der Familie zum guten Ton. Warum auch nicht. Trinken entspannt und schmeckt.

Es ist quasi eine Tradition der Familie, wie sich meine Geschichte zum Alkohol entwickelt hat. Mein Vater war ein ausgesprochener Sonntags-Vormittags-Frühshopper. Dazu, war er auch noch Mitglied eines Turnvereins, was in den 70er Jahren Usus, immer auch den Besuch Vereinskneipe bedeutete.

Er war passionierter Tischtennisspieler mit landesweiten Erfolgen. Sonntags um 10 Uhr morgens wurde mit der Mannschaft Tischtennis gespielt. Nach dem Sport ging es dann in die Vereinskneipe um den Sieg oder die Niederlage zu feiern. Um 13 Uhr fuhr dann meine Mutter mit uns drei Kindern zur Kneipe, um meinen Vater abzuholen.

Nur gestaltete sich das nicht immer so einfach. Meine Mutter eine sehr attraktive Frau, betrat die zum bersten gefüllte Kneipe. Nach inniger Begrüßung meiner Mutter durch viele Sportkameraden, wurde ich gerne mal von Horst Sänger, ein Handballveteran erster Güte, auf den Spielautomaten gesetzt, der direkt neben der Theke an der Wand angebracht war. So konnte ich mitverfolgen, wie die Sportler sich ein Herrengedeck nach dem anderen in den Hals schütteten.

Meinen Vater sah ich an diesen Tagen nur selten, bis meine Mutter es geschafft hatte ihn nach Hause zu lotsen. Meist in sehr alkoholisiertem Zustand.

Ich will das weder verherrlichen noch kritisieren, sondern nur beschreiben. Mein Vater ist ein toller Vater, er hat immer

alles für die Familie getan und tut es auch heute, als Großvater immer noch..

So habe ich als kleiner Junge eben den ein oder anderen
Sonntag verbracht. Ich fand es toll.

Es war eine gutbürgerliche Familie in der ich aufwuchs. Mir
fehlte es nie an etwas. Wir hatten ein schönes zu Hause und
genug finanzielle Mittel um schöne Urlaube oder ähnlichen
Luxus zu geniessen.

Mein Vater hatte ab und zu die Angewohnheit, wenn er
nachts nach Hause kam, mich im zarten Alter von 10 Jahren,
zu wecken um mir zu sagen, wie lieb er mich hatte und mir
klar zu machen das wir beide ja vom gleichen Schlag wären
und um zu philosophieren. Ich bereitete ihm in meinem
„fort-geschrittenen" Alter, noch was zu essen, während er
mir die Welt erklärte. Ich empfand das als Privileg. Was
sollte ich sonst auch denken?

Mit Vierzehn trank ich mein erstes Bier. Einfach mal um es
zu versuchen, es hat mir nicht geschmeckt. Es war auf der
Abi-Feier meines Bruders. Als ich nach Hause kam, hatte
meine Schwester mich verpetzt und ich bekam von meinem
Vater einen Anschiss.

Mit Sechzehn ging am Wochenende mit meinen Freunden
öfter in die „Kiste". Die einzige Kneipe in Haan, in der auch
Jugendliche gern gesehen waren. Dort kellnerte mein Vetter
Edgar. Er achtete sehr darauf, dass ich nicht zu viel trank. In
der Hinsicht brauchte man sich zu diesem Zeitpunkt, bei mir,
noch keine Gedanken zu machen. Denn ich war in ziemlich
jeder Hinsicht ein Spätzünder.

Das einzige Erlebnis, welches mir hier noch einfällt war, dass ich mit einem Arbeitskollegen, ich arbeitete neben der Schule in der Firma meines Onkels, einen Ausstand feierte.

Ralf, eigentlich nicht die Art von Mensch die ich zu meinen Freunden zählte. Wie dem auch sei.

Zum Abendessen gab es zu Hause Zegediener Gulasch. Also Kartoffelpüree mit Gulasch und Sauerkraut. Ich hatte damals einen Riesenhunger und schob mir drei volle Teller, dieses herrlichen Essens in mich rein. Danach machte ich mich auf zu Ralf, der mit einem Kasten Bier und ein paar Videos auf mich wartete. Was soll ich sagen, ich versackte total. Am Morgen um 3 Uhr kam ich nach Hause. Es war ein Freitag, Samstag um 6 Uhr musste ich aufstehen um bei meinem Onkel zu arbeiten. Das Schlimmste war, dass ich locker 6-8 Flaschen Pils getrunken und das Sauerkraut mit dem Bier in meinem Magen zu gehren begonnen hatte..

Als ich nach einer Stunde Schlaf volltrunken, wach wurde, hatte sich in meinem Bauch eine explosive Mischung aus verschiedensten Säften zusammengebraut.

Ich musste innhalb von 20 Sekunden zum meinem Zimmerfenster springen, die Gardinen zur Seite ziehen, das Fenster öffnen und aus dem Fenster kotzen. Das war die größte Sauerei, die ich der Hauswand unseres, von meinem Großvater erbauten Hauses, jemals angetan hatte. Ich kam mir vor wie Riesenarsch Hogan aus de m Film „Die Geschichte eines Sommers".Ich war nicht stolz darauf. Am nächsten Morgen um sechs Uhr fuhr ich aber trotzdem mit dem Fahrrad zur Arbeit. Das Familienmotto war immer: Wer saufen kann, der kann auch arbeiten.

Meine eigentliche Zeit mit dem Alkohol kam erst, als ich mit achtzehn zum Bund eingezogen wurde. Wenn man aus einer rosaroten Familien-Welt auf die „Menschheit" losgelassen wird, kann es schon mal zu „Kulturschocks" kommen. So erging es mir, als ich zur Grundausbildung nach Flensburg geschickt wurde. Der kleine Oli in der großen weiten Welt!

Hier hatte ich meinen ersten Vollrausch. Es war eine interessante Zeit beim Bund in jeder Hinsicht. Ich tat das, was die meisten Kollegen auch taten. Am Wochenende wurde gefeiert. Als ich die Bundeswehr hinter mir gelassen hatte, trat ich in das Familienunternehmen meines Vaters ein. Ich verdiente viel Geld. Ich hatte teure Autos und viele Freunde. Die meisten meiner Freunde hatten nicht so viel Geld wie ich und so war es klar, dass ich die ein oder andere Zeche übernahm.

Das Leben war sehr leicht und auch gleichzeitig sehr hart, denn mit einem Vater, der einem charakterlich sehr gleicht, im selben Unternehmen zu arbeiten, ist kein Zuckerschlecken. An den Wochenenden suchte ich den Ausgleich. Es wurde gefeiert um den Frust der Arbeitstage hinter sich zu lassen. Es wurde immer viel getrunken, Bier oder Weinschorle und auch Schnaps. Ich fuhr auch immer. Egal ob betrunken oder nicht. Ich war irgendwann so geübt, das ich auch betrunken ein guter Fahrer war. Das ging einige Jahre so. Ohne dass mir jemals was passierte.

Ich wohnte noch zu Hause und wenn ich am Wochenende weg ging hat mir meine Mutter immer noch eine Dose Sardinen für vorher, damit ich besser den Alkohol vertragen konnte und für später noch eine Alka Selzer hingelegt, gegen den Kopfschmerz danach.

Wie schön, wenn sich die Mutter Sorgen um den Gesundheitszustand ihres Kindes macht. Ich fand es damals toll, aber irgendwie scheint es für mich doch kontra-produktiv gewesen zu sein.

Ich erinnere mich noch sehr gut daran, als ich von der Polizei vor dem Haus, in dem ich wohnte, ich war etwa 25 Jahre alt, angehalten wurde und in das Röhrchen pusten musste. Ich wusste, dass ich zu viel getrunken hatte und dachte jetzt bist du dran. Aber der Polizist sah auf die Anzeige des Prüfgerätes, fragte mich, wo ich wohnen würde, ich zeigte auf das Haus, welches fünf Meter entfernt war, und er sagte, na, dann gute Nacht.
Ich glaube, es wäre besser gewesen wenn er mich so richtig rund gemacht und dann nach Hause geschickt hätte, dann wäre mir vielleicht vieles erspart geblieben.

So machte ich weiter wie bisher. Ich schied aus dem Familienunternehmen aus, und rief eine Musikproduktion ins Leben. Ich liebe Musik, bin aber nur ein minder begabter Instrumentalist.

Also habe ich mir Musiker ins Studio kommen lassen.

Was machen Musiker? Sie frönen dem Alkohol. Also trank ich auch. Meist Rotwein und Sekt.

Mein Alkoholkonsum war mit Sicherheit reichlich. Aber ich machte mir keine großen Sorgen, ich fühlte mich nicht schlecht und trieb immer viel Sport.

So auch in dem Tennisclub, in dem ich gespielt habe. Ich führte an den Wochenenden die Tradition meines Vater fort. Nach den Matches gab es einen Grund die Spiele zu be-

gießen. Ich fuhr auch immer mit dem Auto nach Hause. Ich war es ja so gewöhnt. Dazu kam dann auch noch der Irrglaube, dass man in Haan eine Größe sei und ich auch einige Polizisten in meinem Bekanntenkreis hatte die mir in nichts nachstanden, auf jeden Fall nicht im Bezug auf Alkohol. Manchmal fuhr ich auch mit auf die Wache um zu prüfen, wie viel Promille ich hatte. Ich sagte aber keinem wie viel ich getrunken hatte. Das war mir dann doch zu riskant. Ich weiss nicht genau, ob die Polizisten was gemerkt hatten, wenn ich zu viel hatte, aber manchmal hielten sie mich noch zum Essen da, wenn ich wieder fahren wollte.

Ich heiratete 2002 meine erste Frau Maga, sie hatte, wie ich zwei Jahre später herausfand, ein posttraumatisches Stress-Symptom und Borderline. Ich hatte keine Ahnung was das war, aber es war sehr anstrengend und ich verbrachte viel Zeit im Tennisclub. Wir tranken auch zu Hause gerne mal am Abend eine Flasche Rotwein oder machten auch eine Zweite auf. Das war ganz normal.

2003 war ich dann mit meiner Frau und ihrem Vetter in Köln bei einer Party mit Liveband. Die Band hatte auch auf meiner Hochzeit gespielt. An diesem Abend trank ich eine Weißweinschorle nach der anderen und war sehr betrunken. Meine Frau machte mir an diesem Abend ein üble Szene, weil sie dachte, ich hätte eine fremde Frau angebaggert. Ich muss dazu sagen, ich bin die treueste Seele überhaupt und wenn ich falsch verhalten hatte dann ist das wahrscheinlich auf den Alkohol zurückzuführen, den ich damals intus hatte.

Auf jeden Fall wollten wir irgendwann nach Hause und ich sagte, kein Problem ich fahre.

Wie dem auch sei. Ich torkelte aus der Lokalität und wankte Sturz betrunken auf meinen Volvo V70 zu. Ich hatte einen Tunnelblick, sonst wäre mir aufgefallen das in unmittelbarer Nähe ein Streifenwagen stand.

Ich schloss ohne Probleme die Tür auf und setze mich ans Steuer. Ich schob den Schlüssel ins Zündschloss und fuhr los. Nach ca. 500 Metern hielten mich die Polizisten an und nahmen uns mit auf die Wache.

In der Wache saß ich auf einem Stuhl und wartete auf den Arzt, der eine Blutprobe von mir nehmen sollte. Die Fragen des Polizisten, der mich vernommen hatte, konnte ich so gerade beantworten, ich neigte dazu einzuschlafen.

Das war im Nachhinein, das Entwürdigendste, was mir in meinem Leben passiert war. Damals aber war mir das egal. Ich hatte 1,86 Pro Mille. Ich war nicht stolz darauf.

Selbst am nächsten Morgen, als ich zu Hause aufgewacht war, war mir das egal. Denn ich fuhr einfach weiter Auto. Immer und überall. Nur alkoholisiert fuhr ich nicht mehr.

Ich hatte nicht das Gefühl, das ich eine Straftat beging, ich kann ja Auto fahren.

Ich ging dann zu einer MPU, wo ich jämmerlich versagte weil ich mit 1000%tiger Sicherheit nicht die richtige Einstellung zu allem hatte.

2005 wurde ich dann zu ersten Mal beim Fahren ohne Führerschein erwischt. 18 Monate Sperre und 1750 Euro Bußgeld. Ja und? Ich also wieder zu einer MPU ohne Vorbereitung oder ähnlichem und versagte wieder. Natürlich, es hatte sich nicht wirklich was geändert in meiner all zu dämlichen Sichtweise. Natürlich war ich mir im Klaren, dass ich eine Gefahr im Strassenverkehr darstellte, aber ich bin ein ausgezeichneter Verdränger.

2006 kamen meine Kinder zur Welt. Als ich die Kinder zum ersten Mal sah und ich sie abgenabelt hatte, da wurde mir langsam klar, dass es so mit mir und meiner Lebenseinstellung nicht weiter gehen konnte. Ich hörte auf in großem Maße zu trinken. Der Gedanke, dass meine kleinen Babys eine Fahne riechen müssen, war mir zuwider.

2009 kam die Trennung von meiner damaligen Frau. Ich wollte die Beziehung schon seit 2008 nicht mehr, traute mich aber nicht meine Familie zu verlassen, besonders da meine Frau ja immer noch psychisch krank war.

Im gleichen Jahr traf ich meine jetzige Frau, was für mich ein Segen war, wie sich in der Zukunft herausstellen sollte.

Ich sagte ihr nicht, das ich keinen Führerschein hatte. Das hatte ich auch zweitweise, vergessen, weil es ja „normal" war, dass ich keinen hatte.

Das änderte sich am 18. 10. 2010. Ich brachte meine Kinder, die ich nach drei Monaten bei meiner Frau zu mir nach Hause geholt hatte, in den Kindergarten. Auf dem Rückweg hatte ich mein Handy in der Hand während des Fahrens. Ich telefonierte nicht, sondern ich hatte es nur in der Hand, warum weiss ich nicht. Egal, ein Motorradpolizist hatte es gesehen und mich angehalten. Ich hatte keine Papiere dabei, auch keinen Personalausweis und fuhr mit ihm nach Hause. Meine Freundin Liz war zu Hause und ich belog den Polizis-

ten, dass ich meinen Führerschein beim Umzug verloren hätte. Liz wusste ja auch noch nichts von Ihrem Glück, mit was für einer Flachpfeife sie zusammen war.

Nach zwei Tagen sehr schlechten Gewissens beichtete ich ihr, dass ich keinen Lappen hatte. Sie war entsetzt und sehr sauer auf mich.

Sie hatte es geschafft, dass ich tatsächlich zwei Monate kein Auto mehr fuhr. Nach einiger Zeit ergab sich meiner Dominanz und ich fuhr wieder weiter. Strafe 20 Monate Sperre und 2000 Euro. Ja und?

Das Gute war, zum Alkohol musste man mich mittlerweile überreden. Das war wie ein automatischer Prozess. Ich hatte einfach keine Lust mehr etwas zu trinken und außerdem wollte ich auf keinen Fall ohne Lappen und mit Alkohol erwischt werden.

Ich hatte mir dann ausgerechnet das ich nach den 20 Monaten, die 10 Jahre ohne Führerschein, durch hatte und einfach einen Neuen machen würde. War doch eine super Idee.

Ne, war es nicht.

Meine berufliche Situation hatte sich geändert und ich hatte zum ersten Mal kein Geld mehr, weil meine Frau alles bekommen hatte als die Scheidung rechtskräftig geworden war.

Als ich das Haus aufgelöst hatte, fühlte ich mich unheimlich frei, weil ich bis auf die Kinder keine finanziellen Verpflichtungen mehr hatte. Liz und ich lebten zusammen mit den

Kindern in einer schönen Dreizimmerwohnung. Ich hatte jede Menge Zeit mich auf ein neues Leben vorzubereiten, keine Ahnung, welches aber neu würde es sein. Liz arbeitete und ich hütete die Kinder.

Ich kann im Nachhinein sagen, dass ich meiner Frau so unendlich dankbar bin, dass sie mich genommen hat.

Trotzdem fuhr ich immer noch weiter Auto, als wäre dass das Normalste von der Welt.

Irgendwann in 2011 trat ich als Regisseur in mein neues Arbeitsleben ein. Diese Aufgabe hatte in mir eine wirkliche Wandlung vollzogen. Sie hat dafür gesorgt, dass alles so gekommen ist, wie es sein sollte.
Die soziale Verantwortung und Sensibilität, die man in diesem Beruf braucht, hat bei mir die Schalter umgelegt, die nötig sind, um diese Zeilen hier überhaupt schreiben zu können. Nur, dass es sehr viele Schalter waren, die umgelegt werden mussten. Meine Frau hatte aber die Gewalt über diese Schalter, denn sie ist die treibende Kraft in meiner Metamorphose.
2013 das Jahr der Jahre. Es war mein Jahr. Beruflich und auch familiär, denn ich bin seit dem 10. 11. 12 wieder verheiratet und habe schon sehr viel verstanden. Jeden Tag den ich ohne Führerschein fuhr, erhöhte mein schlechtes Gewissen und ich hatte einen genauen Plan, wann ich mich wieder bei einer Fahrschule anmelden wollte, damit ich endlich meinen Führerschein machen konnte. Allerdings hatte ich da die Rechnung ohne Wirt gemacht.

Der Wirt kam dann am 22. 7. 2013 mit voller Wucht auf mich zu, als ich die Hintertüre meines Autos nicht richtig zu gemacht hatte und ich mit meinen Kindern vom Schwimmen nach Hause fahren wollte.

Die Türe ging während der Fahrt auf und berührte einen entgegenkommenden Wagen. Die Frau, die den Wagen fuhr, rief die Polizei, ich bekniete sie, dass sie das nicht machen sollte, ich würde den Schaden auch so bezahlen. Die Frau blieb hart und ich hasste sie. Die Polizei kam und ich war am Arsch. Heute würde ich sagen die Frau war der Wirt und ich konnte endlich meine Rechnung begleichen. Aber damals heulte wie ein kleiner Junge. Ich hatte mich noch nie so schlecht gefühlt in meinem Leben und so sehr geschämt.

Die Strafe hatte ich verdient, so wie alle Strafen, die ich mir eingebrockt hatte. Ich habe mich nicht zu beklagen, denn nur ich bin für mein Handeln verantwortlich und niemand sonst.

Wie dem auch sei. Ich bin dankbar darüber, dass es so gekommen ist und ich geläutert bin. Deswegen freue ich mich auch, diese Zeilen geschrieben zu haben, sie erleichtern mein Herz.

Danke an Liz meine Frau.

Dieser Brief oder dieses Geständnis, war das erste Schriftstück, welches meine größte Schwäche bekundet. Es war wie eine Offenbarung. Ich erkannte auf einmal, dass es vorbei war mit dem Leben, welches ich vorher geführt hatte. Dieser Brief war die Initialzündung für meine Metamorphose. Ich will sie nicht mit Luthers Hammerschlag vergleichen, aber es hatte ordentlich gehämmert in meiner Rübe.

Als ich den Psychologen im Testgespräch zum ersten Mal begegnet war, überkam mich eine große Skepsis, ob ich es schaffen würde, mein Verhalten zu verändern. Also wirklich meine Denke nachhaltig zu verändern zu können. Die Wahrheit ist, es war leichter als ich gedacht hatte.

Endlich hatte ich den Beweis dafür, dass sich Menschen ändern können. Ich spürte es deutlich. Mit meinem verändertem Denken änderte sich auch meine Umgebung. Ich sah sie auf einmal aus einer anderen Perspektive. Ich war wesentlich kritischer in allen Belangen. Ich machte neue Erfahrungen im Gespräch mit meiner Familie und meinen Mitmenschen. Nicht nur meine Sichtweise zu Verkehrs-fragen änderte sich, auch zum Beispiel in Bezug auf meine Ernährung. Ich ging ab diesem Zeitpunkt regelmässig zum Verkehrspsychologen und war mir sehr sicher, dass ich den Rückweg hinter das Steuer schaffen würde. Dies war ein sehr erhebendes Gefühl. Ich wusste aber auch, ohne den Psychologen würde ich es niemals schaffen. Trotz allem musste ich zwischenzeitlich immer noch mit Zweifeln kämpfen, wenn mein altes Ich mich wieder ins Dunkel ziehen wollte. Die Metamorphose ist bis heute noch nicht abgeschlossen. Sie wird es niemals sein.

Es ging also ans eingemachte!

Erste Fragen des Verkehrspsychologen während der MPU Vorbereitung:

„Wie war der Tathergang an jenem Abend des 22.10.2003?"

Ja, genau, jetzt geht es los. Wie Tathergang? Was für eine Tat. Ich war doch nur besoffen Auto gefahren. Das war doch jetzt so schlimm. War doch auch nix passiert.

Denkste, was ist Fahren unter Alkoholeinfluss?

Eine Straftat. Bum, das sitzt.

Leute, macht es euch bewusst. Fahren mit Alkohol, unter Drogen, ohne Führerschein, also meine Profession. Nix Ordnungswidrigkeiten, das sind alles Straftaten.

Es ist wichtig, sich dessen im Klaren zu sein. Es ist wichtig, dass Ihr Euch im Klaren seid mit einer fahrenden Bombe unterwegs gewesen zu sein, die nicht versichert ist oder war. Lest noch mal genau das Schreiben vom Straßen-verkehrsamt. Das, was da drin steht, will man nicht lesen, weil es so verdammt weh tut, weil es hart ist und weil es stimmt.

Du bist nicht fähig ein Fahrzeug im Straßenverkehr zu führen und deshalb stehst du Pfosten jetzt da, einsam auf der Weide, ohne Zaun.

Bei mir war es eine Party, viel gesoffen, schön gefeiert und dann noch ordentlich mit meiner Exfrau gestritten. Dämlich und sauer war ich und bekam den Autoschlüssel super ins Türschloss bekommen.
Ich bin dann voller Selbstüberschätzung, los gefahren, ob-

wohl meine Frau mehrfach sagte, lass den Wagen stehen. Aber wieso? Ich fuhr schon so oft besoffen, was soll`s. Wenn einer Besoffen fahren kann, dann ich. Besoffen fahre ich besser als nüchtern. Nur sehen und wahrnehmen ist mit Alkohol im Blut nicht so einfach. Ich habe zum Beispiel den Streifenwagen nicht gesehen, der auf mich wartete.

Was und wie viel haben Sie an diesem Tag in 2003 getrunken?

Ich saß in diesem Besprechungsraum mit dem netten Herrn, und dachte darüber nach, was vielleicht vor zwölf Jahren an genau diesem Tag, um die Uhrzeit, die Kehle herunter geronnen war. "Will der mich verarschen?" Das weiss ich doch jetzt nicht mehr.

Bei meiner ersten MPU habe ich die Psychologin, mit dunkler Pilzkopf-Frisur und Norwegerpullover gefragt, ob sie selbst noch wisse, was sie an welchem Tag getrunken hätte. Sie sagte mir, dass sie ihren Führerschein noch hätte, ich aber nicht. Ja, das war die traurige Wahrheit.

Ich entschloss mich dann nach der zweiten Frage das Etablissement zu verlassen, weil ich die erste schon total verkackt hatte. Mein Vertrauen in mich war nicht einen Pfifferling wert.

Das ist nicht der richtige Weg!

Arroganz oder Überheblichkeit ist in diesem Moment mehr als unangebracht. Man muss sich seinen Dämonen stellen und deshalb gibt man sich Mühe und wird die Frage korrekt beantworten.

Sie muss deshalb richtig beantwortet werden, weil man auf den größeren Zusammenhang vorbereitet wird. Aber das kommt später.

Mit der Aufforderung zu rekapitulieren was man an diesem Tag getrunken hatte, sorgte der Psychologe auch dafür, darüber nachzudenken, was man an den anderen Tagen getrunken hat. Der Kreis begann sich langsam zu schliessen. Man könnte sich bewusst werden, dass man, bei einer ehrlichen Aneinanderreihung der Tage, an denen man getrunken hatte, einen Konsum feststellte, den man nicht feststellen mochte. Davon abgesehen, wenn man, so wie ich, gerne mal einen Wein trinkt, dann ist das ja nicht schlimm, wenn man aber täglich ein Fläschchen davon zu sich nimmt, dann hat das schon eine Qualität die, nicht der Norm entspricht. Jetzt stellte sich die Frage: „Warum haben Sie so viel getrunken?" Das ist ein wichtiger Ansatz. Wenn du dem Psychologen sagst, dass du total sauer gewesen, oder dich belohnen wolltest, oder sehr traurig gewesen bist, dann ist das ein absoluter Kickout. Du missbrauchst Alkohol dafür, um deine emotionalen Zustände zu kompensieren. Das riecht nach Abhängigkeit. Klingt Scheisse und ist es auch. Es ist einfach zu leicht sich einen Seelentröster aus dem Supermarktregal in den Einkaufswagen zu legen, der dann mit Freude darauf wartet im Wohnzimmer von Dir geköpft zu werden.

Es gibt natürlich noch die Möglichkeit eine öffentliche Lokalität, also eine Kneipe aufzusuchen, um sich den Frust von der Seele zu saufen, aber da ist dann darauf zu achten, dass du das Auto stehen lässt, sonst findest du dich da wieder, wo das Amt für einen handelt.

Wenn dir jetzt bewusst wird, was du alles trinkst und in welchem Maße, dann solltest du dir auch bewusst werden, dass die Psychologen das schon alles wissen. Sie wissen wie Trinkgewohnheiten funktionieren, sie wissen, dass du regelmässig trinkst, sie wissen, dass du ein Alkoholiker bist, bevor du es weißt. Das kotzt dich tierisch an, was erdreisten die sich. Du denkst du wirst pauschal verurteilt? Nein, die Leute wissen wovon sie reden und du nicht.

Wie hast du, wenn du betrunken fährst, den Zündschlüssel so sauber in das Schloss bekommen? Wie hast du das Fahrzeug so akkurat durch den Verkehr gesteuert, wenn du es nicht gewöhnt bist, Alkohol zu trinken und damit auch zu handeln. Du kannst jahrelang Glück haben, aber irgendwann bist du dran. Dann kommt der Wirt und macht dir die Rechnung.

Also sei Dir bewusst und belüge dich nicht selbst, Alkoholismus ist eine Volkskrankheit, und Du bist krank. Ein kranker Straftäter, wie klingt das?

Genau dieses Thema musste ich so lange mit Herrn Ehrlich durchackern, bis ich bereit war für die MPU. Die Entscheidung habe ich Ehrlich überlassen. Es war eine gute Entscheidung mich an seine Meinung zu binden. Man darf nicht denken oh, der will vielleicht noch ein paar Euro zusätzlich verdienen. Denn Vertrauen ist wirklich wichtig. Die ganze Scheisse mit dem Führerschein hat schon so viel Geld gekostet. Es kommt nicht auf ein paar Euro an. Es kommt darauf an, dass man bereit ist.

Die folgenden Erlebnisse schreibe ich im Präsenz. Präteritum enthält nicht die nötige Intensität.

Mein Tag der MPU

Wir trinken Alkohol, nehmen Drogen oder andere Substanzen, die uns von den Sorgen des Alltags befreien sollen. Die Frage ist, warum tun wir das? Warum konsumieren wir Substanzen, die uns scheinbar erlösen können, vom Unbill des Lebens. Ich hoffe ich konnte Euch in meinen bisherigen Erzählungen, wie mein Leben bisher verlaufen ist, in etwa deutlich machen, das auch ein scheinbar „fast" normales Leben einen Alkohol Missbraucher oder Verkehrsgefährder gebären kann. Ihr könntet auch denken, was ein normales Leben?, meins ist doch viel entspannter, schwieriger, verrückter, schlimmer oder, oder. Ist auch egal, denn was, ist schon ein normales Leben?

Bei den Urvölkern ist es ja Gang und Gebe, wenn sich die Dorfältesten und der Schamane am Abend mit Kokablättern oder anderen berauschenden Pflanzen die Kante geben. Die fahren am nächsten Morgen keine zwei Tonnen PS Schleuder, um damit zur Arbeit zu kommen oder um jene zu verrichten. Wenn sich ein vergifteter Pfeil unbeabsichtigt in den Oberschenkel vom Onkel verirrt, wen juckt das? Die Neigung des Menschen zu Rauschmitteln ist wahrscheinlich nichts unnormales, nur ist sie auch gesellschaftskonform? Nein. Die Zivilisation, oder besser die Gesellschaft, hat Gesetze dafür entwickelt, um dem Menschen Schutz vor sich selbst zu geben. Die permanente Weiterentwicklung von KFZ- oder anderer Technologie ist eben nicht vergleichbar mit dem Speer oder dem Bogen des Jägers der Urvölker. Brauchen wir diese Gesetze? Ja! Dringender als jemals zuvor. Nur so ist es möglich, sich halbwegs sicher durch die Welt zu bewegen. Das soll nicht heißen, dass ich mit allen Gesetzen einverstanden bin, aber ich bin sehr damit einverstanden, dass meine Familie und meine Kinder davor beschützt werden, von einem Verkehrssünder tot gefahren zu werden. Ich betrete an jenem morgen die nüchtern eingerichteten Räume der MPU-Gesellschaft. Die Mitarbeiter sind sehr freundlich und ich werde behandelt wie ein guter Kunde. Das bin ich auch, denn zu allererst bezahle ich 575 Euro bei der Anmeldung. Ich werde von der netten Sekretärin in ein Wartezimmer geführt. Hier fülle ich einen Fragebogen aus, der Grundinformationen über mich abfragt. Alter, Allergien, Süchte, Krankheiten und so weiter, die Anamnese also. Ich warte mit mehreren Menschen die aus unterschiedlichsten Anlässen hier sind und darauf hoffen, dass der Tag schnell vorbei geht, denn so richtig wohl fühlt man sich hier nicht. Es erleichtert allerdings, dass man unter Gleichen ist. So kann man sich mit Gesinnungsgenossen darüber austauschen was man für ein Idiot gewesen ist. Diese Aussage trifft auf jeden Fall auf mich zu, für die Anderen kann ich nicht sprechen, wenn ich aber genau überlege, glaube ich, dass der ein oder andere noch mal wieder kommen könnte.

Ich kann es nicht oft genug sagen, wer sich nicht ausreichend mit einem Verkehrspsychologen über seine Themen auseinandergesetzt hat und ein Umdenken der eigenen Handlungsweisen herausgearbeitet hat, der wird scheitern.

Ein Durchmogeln ist bei der medizinischen Untersuchung und bei den kognitiven und Reaktionstests vielleicht noch möglich. Wenn ihr aber im Büro des Verkehrspsychologen auf dem „Stuhl der Wahrheit" sitzt, merkt ihr spätestens, ob ihr gut vorbereitet seid oder nicht.

Nach gut fünfundvierzig Minuten Wartezeit werde ich zu den Reaktions- und den kognitiven Tests gerufen und kann mich tatsächlich nicht mehr genau daran erinnern, was ich in den vergangenen nicht bestandenen MPU`s alles machen musste, um hier einigermaßen zu bestehen. Ist ja auch schon ein paar Jährchen her.

Die freundliche Mitarbeiterin, die ich etwas gequält anlächle, um darauf hinzuweisen, dass ich mich gerade nicht besonders wohl fühle, führt mich zu einem Raum in dem eine Maschine aus einem Science-Fiction-Film der 50er Jahre steht. Sie weist mich in die Tastatur und Vorgehensweisen ein und wünscht mir viel Erfolg.
Alleine in dem sehr beengten Raum, von der Größe einer Standart-Gästetoilette eines Einfamilienreihenhauses, vor einer Maschine mit Bildschirm, die getrost aus der Fernsehserie „Mondbasis Alpha Eins"   stammen könnte, sitze ich mit Kopfhörern auf dem Kopf und warte darauf, dass mir die Maschine einen Kaffe macht, oder einfach damit beginnt, wozu ich hier bin. Ich soll beweisen, dass ich in der Lage bin schnell und konsequent zu reagieren und zwar richtig.

Der adaptive, tachistoskopische Verkehrsauffassungstest

Das klingt wie eine Hommage an den Helfershelfer von Dr. Frankenstein, ist aber einfach nur die Darstellung von Bildern, die den Straßenverkehr in den verschiedensten Situationen widerspiegelt. Also Ampelkreuzung, LKW auf der linken Abbiegespur, Fahrradfahrer in Gegenrichtung, fährt gerade aus, Ampelschaltung auf Gelb.

Ich denke das ist aber einfach, weil ich die Bilder in einem sehr angenehmen fünf Sekundentakt betrachten darf und dann mit einem Kopfdruck die richtige Beschreibung des Bildes anwählen soll.

Nach den ersten zehn Bildern verschärft sich das Tempo deutlich und ich werde gezwungen nur noch instinktiv zu handeln. Ich komme ins Schwitzen, hetze nur noch hinter den Bildern her. Mein Kopf bewegt sich wie im Zeitraffer, zwischen dem Bildschirm und der Tastatur hin und her.

Nach einer gefühlten Ewigkeit, in Wahrheit waren es vielleicht sieben Minuten, ist der Test vorbei und ich freue mich, die Gästetoilette endlich verlassen zu dürfen. Leider habe ich mich zu früh gefreut, denn das war erst der Anfang.

Der Determinationstest

Determination ist eigentlich ein Begriff, den ich aus der Astrophysik kenne und er bedeutet "Bestimmung" oder "Vorbestimmung". Das hat also wenig mit Schicksal zu tun. Ich für meinen Teil kann mich nicht entscheiden und nehme mir, was gerade besser passt. Allerdings hätte ich mich darüber gefreut, wenn das Schicksal es im Bezug auf meine Verkehrserziehung, etwas besser mit mir gemeint hätte. Jetzt aber zurück zum Test, ich will nicht jammern, durchhalten ist angesagt, denn ich will ja morgen zum Strassenverkehrsamt, um meinen Führerschein abzuholen.

Es geht darum meine Reaktionsfähigkeit zu testen, ich denke eigentlich, dass ich das schon mit dem vorigen Test bewiesen habe und möchte gerne etwas Wasser trinken, weil mir die Spucke weg bleibt als ich verstehe, was für eine "Schlagzahl" hier von mir verlangt wird. Meine motorischen Fähigkeiten und mein frontaler Stirnlappen werden bis aufs Blut mit akustischen- und Farb- Signalen bombardiert, bis ich nach endlosem, nur noch hektischem reagieren auf die jeweiligen Farb- oder Ton-Tasten drücke und vermute, dass ich ab jetzt keine Fingerabdrücke mehr vorweisen kann. In diesem Moment denke ich zum ersten Mal, das ich jämmerlich versagen werde.

Meine Motivation ist nach diesem Test am Boden. Zehn Minuten Terror! Ich versuche mich zu erinnern und denke darüber nach, was mein Psychologe mir gesagt hatte, zu diesem Teil der MPU. Ich kann mich aber nicht erinnern, beziehungsweise nicht daran, dass er ihn jemals erwähnt hätte. Ich bin leicht verstimmt darüber, dass ich ohne jede

Vorwarnung von ihm hier hinein geschickt worden war. Es ist immer leicht, im Außen nach den Fehlern zu suchen und ich komme zu dem Schluss, mir selbst in den Arsch zu beißen, denn nur ich bin für mich selbst verantwortlich. Ich hätte mich besser vorbereiten oder einfach mal danach fragen sollen.

Nachdem der Test abgeschlossen ist, bin ich froh, dass ich wieder regelmäßig atmen kann und mache mich daran den Raum zu verlassen, bis Mondbasis Alpha Eins mir plötzlich mitteilt, dass jetzt der nächste Test ansteht und ich doch bitte noch bleiben soll. Volltreffer!

Der Linienverfolgungstest

Oh denke ich, Linien verfolgen, das kann ich gut. Ich hab das mit meinen Kindern, als sie noch in der ersten Klasse waren, gerne gemacht und war stolz, wenn ich sie besiegen konnte. Man weiß ja, das Kinder in solchen Tests besonders gut sind.

Das heißt aber nicht, dass diese Tests genauso gestrickt sind wie der in der ersten Klasse. Das wäre auch zu einfach. Ja genau, wie so nicht mal einfach?!
Es geht hier nicht nur darum die Linien bis zum Ziel zu verfolgen, sondern, um die visuelle Orientierungsleistung und die selektive Aufmerksamkeit.

Mit extrem verschlungenen Linienbildern, unter dem Mittel von Schnelligkeit und Korrektheit.

Also nicht erste Klasse. Ich bekomme keinerlei Anweisung, wie lange ich für ein Linienbild brauchen darf, um richtig zu entscheiden, das nimmt mir die Maschine ab, die mir Sekunden dafür Zeit lässt, die Linien zu verfolgen und zu markieren, bis ich das nächste Linienbild serviert bekomme.

Langsam kommt mir der Gedanke, dass die Maschine nicht aus den 60er Jahren ist, sondern eine neue Form von künstlicher Intelligenz in sich trägt. Die Programmierung ist so gestaltet, das sie den Probanden bis aufs Blut quälen soll.
Nachdem ich den letzten Test beendet habe, bin ich völlig außer Atem und voller Adrenalin. Ich springe quasi vom Stuhl und schreie die Maschine an: „Du nicht, Du schaffst mich nicht!" Als ich endlich den Raum verlasse, kommt es

mir so vor, als wäre es draußen dunkler geworden, dabei war ich nur ungefähr zwanzig Minuten im Vorhof der Hölle gewesen.

Ich gehe erst einmal auf die Toilette und bin mir nicht mehr so sicher, ob dass hier heute alles gut geht. Ich klatsche mir kaltes Wasser ins Gesicht, sehe mich im Spiegel an und forderte mich auf, stark zu sein. Ich habe ein Ziel vor meinen geschwollenen Augen und verfolge es konsequent. Ich möchte wieder ein vollständiges Mitglied der Gesellschaft sein und habe hart dafür gearbeitet.

Wie ich diesen Satz mittlerweile hasse.

Heute ist der Tag, an dem ich mir den Lohn für meine Arbeit hole. Ich hole mir die Legitimation wieder, ein selbständiger motorisierter Mensch zu sein.

Zurück im Wartezimmer zwinkern mir die mit mir Wartenden zu, die diesen Test schon gemacht haben. Mehr kommunizieren möchte ich gerade nicht, ich muss das jetzt erst einmal verarbeiten. Dazu hole ich mein Smartphone aus der Tasche um die täglichen Nachrichten zu lesen, bis mir die freundliche Dame sagt, dass Mobiltelefone nicht erlaubt sind. Ich tue so, als würde ich mich daran halten und stecke es einsichtig brav in meine Tasche. Da ich nicht davon ausgehe, dass mir die Dame das Telefon wegnehmen würde, warte ich bis sie gegangen ist und hole es verstohlen, mit einem verschworenen Blick zu den Anderen wieder heraus. Ich hatte nicht damit gerechnet, dass es einige MPU-Aspiranten gibt, die sich besondere Lorbeeren verdienen wollen. Nach gut fünf Sekunden, steht ein jüngerer, untersetzter, leicht verpickelter Mann auf, um der freundlichen Dame mitzuteilen, dass ich mein Telefon wieder benutzen würde.

Danke Arschloch, denke ich und kann kaum glauben, was ich höre. Schnell stecke ich es wieder weg, wie ein kleiner Junge, der verbotener Weise, ein Spielzeug mit in den Schulunterricht genommen hat.

Ich gebe mich einsichtig, und lobe den jungen Mann auch noch, weil ich vorgab einen Test gemacht zu haben.

In diesem Moment weiß ich, dass ich hier nicht mit Leidensgenossen sitze, sondern das ich hier gefühlt unter Gladiatoren bin, jeder ist auf sich gestellt und will punkten, wo er nur kann. Ich bin mir sehr wohl bewusst, dass dies totaler Unfug ist, aber die anderen Mitstreiter sehen das wohl anders.

Ich bringe mich dann so gut wie möglich in die Gespräche ein, um Verwirrung zu stiften und Unsicherheiten noch etwas mehr zu verstärken. Dies aber nur aus rein pädagogischer Natur. Man tut was man kann.

Ich vergesse aber nicht, dass die hier in dem Wartezimmer sitzenden Menschen, mit ihren eigenen Ängsten zu kämpfen haben. Jeder will bestehen, jeder will sein Ziel erreichen.

In den meisten Fällen ist das die Wiedererteilung der Fahrerlaubnis. Der ein oder Andere wartet aber nur darauf, seine Urinprobe abzugeben.

Ich konzentrierte mich jetzt wieder auf meine nächsten Hürden, die mit dem Tempo einer am heißen Asphalt klebenden Nacktschnecke auf mich zu gerast kommt. Die Zeit vertreibe ich mir mit der Verkostung der ausliegenden Broschüren und Prospekte zum Thema MPU, wer hätte das gedacht.

Zeitungen oder Illustrierte die man üblicherweise in Warte-zimmern, zum Beispiel beim Zahnarzt oder Gynäkologen findet, sucht man hier vergeblich. Das könnte daran liegen, das dass eigene Bewusstsein voll auf das Thema fokussiert werden soll, oder einfach weil MPU Gesellschaften nicht dem Lesezirkel angeschlossen sind.

Da ich nicht weiß, welche Aufgabe mir als nächstes bevorsteht, ich kann gerade kein richtiges System erkennen, wie die Mitarbeiter in diesem Etablissement verfahren und denke an die Marx Brothers in „Eine Nacht in Casablanca".

Nach einiger Zeit freue ich mich irgendwie darüber, dass eine attraktive Frau mittleren Alters, also so in meinen Jahren, mit einem kurzen weißen Arztkittel, meinen Namen aufruft, um mit mir im Separee zu verschwinden.

Die medizinische Untersuchung

Anamnese

Hört sich erst mal etwas extraterrestrisch an, ist aber nur der Begriff für die Erfassung der Leidensgeschichte eines Patienten. Quasi die Erinnerung der medizinischen Vergangenheit. Die Ärztin, ich nenne sie einfach mal Michaela, ist wirklich attraktiv, auf Details will ich hier verzichten. Als alter Charmeur will ich dann auch meine Möglichkeiten nutzen, um die Dame so gut wie möglich für mich zu gewinnen. Nach näherer Betrachtung und Beobachtung der Gesichtszüge von Michaela, denke ich mir, warum so eine patent wirkende Frau nicht in einem Krankenhaus arbeitet, anstatt sich hier mit Säufern, Drogenjunkies und meiner Wenigkeit rumzuschlagen. Dann bemerke ich die sehr nasale Art, die mich daran erinnert, dass Menschen die zu oft etwas staubiges durch die Nase ziehen, eventuell mit solchen Symptomen rechnen müssen. Es kann aber auch an den Nasensprays gelegen haben, die in mehreren Flaschen ordentlich aufgereiht, auf der Fensterbank stehen.

„Nehmen Sie Drogen, rauchen sie, oder haben Sie schon mal einen Unfall gebaut, als sie so richtig bekifft über die Straße gefahren sind?", kommen die Fragen über den Schreibtisch geschossen und lassen mich fast mit dem Stuhl nach hinten kippen. Dabei lächelt mich die Dame an, als wäre sie gerne dabei gewesen, oder findet es einfach geil solche Fragen einfach so rauszuhauen. Zum Glück kann ich diese Fragen alle mit Nein beantworten, rauchen ist etwas geschönt, denn eigentlich rauche ich, aktuell habe ich eine schwere Bronchitis und Rauchen war einfach nicht drin, kiffen fällt somit auch flach. Michaela erfasst alles auf einem Erhebungsbogen, den ich auch schon in ähnlicher Form bei der Anmeldung ausgefüllt hatte. Ich wundere mich wirklich sehr darüber, dass die Informationen immer wieder abgefragt werden.

Es könnte sein, dass der ein oder andere Mitarbeiter vielleicht meine Schrift nicht lesen kann, oder aber, es wird geprüft, ob mein vermeintlich total versoffenes Gehirn sich nicht mehr daran erinnern kann, was ich vor knapp zwei Stunden auf den Anmeldezettel geschmiert habe. Nachdem Michaela die Informationen von mir auf dem Blatt Papier verewigt hat, geht die Fragerei zum dem Tag des Verderbens. Nach einer kurzen Sekunde des Innehalten's, fange ich an mich zu schämen. Erstens, weil ich hier die Flitzpiepe bin und nicht mein Gegenüber und zweitens, weil ich hier die Flitzpiepe bin und nicht mein Gegenüber.

Ich habe mich beim Versuch von mir abzulenken, also von meinen persönlichen Unzulänglichkeiten, um die es hier nämlich geht, so richtig schön wieder in meine schlechten Charakter Muster fallen lassen. Das Ganze, „ich bin ein cooler Typ Gehabe", ist für die Katz, denn mit der Frage: „Wie war das denn noch mal als sie, mit 1,86 Promille im Blut, von der Polizei aufgegriffen wurden?", hat Michaela mir wieder klar gemacht, warum ich jetzt in diesem Augenblick in diesem Raum bin und nicht in Waikiki am Strand mit einem Mochito in der Hand.   Ich habe allerdings so langsam den Eindruck, dass Michaela gerne dabei gewesen wäre, oder von meinem Blut getrunken hätte. Jetzt geht das schon wieder los.

Ich möchte nicht, dass jeder weiß, dass ich so richtig Scheiße gebaut habe, ich möchte nicht bei jeder Fragestellung auf meine Fehler aufmerksam gemacht werden. Es tut weh und nervt mich. Warum bin ich noch mal hier in diesem Raum, mit der wirklich netten Michaela, die ihr Bestes gibt um die ganze Situation so normal wie möglich zu gestalten. Für sie ist es bestimmt Routine, aber für mich, absolute Scheiße.

Allein aus diesem Grund sollte man sich zwei Mal überlegen, ob man sich eine MPU einhandelt. Wenn du in dieser Situation gelandet bist, erst dann wird dir klar, woher der Name Idioten-Test kommt. Nicht, weil man getestet wird, sondern weil man sich wie ein Idiot aufgeführt, oder ein ähnliches Verhalten an den Tag gelegt hat.

Am Ende des Interviews denke ich, viel schlimmer kann es nicht mehr kommen, Irrtum. Es geht noch eine Stufe höher die Treppe der Peinlichkeiten hinauf.

Mit dem Befehl: „Machen Sie bitte mal den Oberkörper frei", habe ich nicht gerechnet, ich bin jetzt nicht der Zwillingsbruder von Quasimodo, aber so richtig in Form bin ich auch nicht und will mich nicht halbnackt vor Michaela zeigen.

Ich frage: „Wozu?" sie sagt: „Ich komme meinen geheimdienstlichen Vorschriften nach und höre sie ab."

Aha denke ich, abhören, die Leber oder wie? Nach einem strengen, auffordernden Blick meiner neuen Domina, tue ich was von mir verlangt wird. Mit meiner Wampe stehe ich da und warte auf das kalte Stethoskop auf meinem Körper. Ich zucke dann immer, ich kann es nicht verhindern.

Während ich da so stehe, sehe ich das ich am Ende einer weißen, auf den Boden geklebten Linie stehe. Nachdem ich erfolgreich ein und ausgeatmet habe und auch die Leber keine unnötig Töne von sich gegeben hat, soll ich nun mit nach vorne ausgestreckten Armen, die weiße Linie entlang laufen. Ich denke die verarscht mich, aber es ist ihr voller Ernst. Das ist so eine Situation, die man in den sozialen Netzwerken, als Film auf seinem Smartphone ansieht und sich über den Trottel lustig macht, der gerade von einem Police Officer, mit Schlagstock bewaffnet, am Straßen Rand gequält wird. Machen sie den Torkeltest oder ich werde Sie erschlagen!
Ich fühle mich wirklich beschissen, wie ein Depp. Ich gehe also wie „Bela Lugosi", in Dracula, mit den Armen nach vorne, die Linie entlang und sehe in das zufriedene Gesicht von Michaela. Das macht mich richtig stolz, dass ich das so gut hinbekommen habe. Zum Glück tätschelt sie mir nicht den Kopf. Die nächste Anweisung, die ich bekomme, ist den Zeigefinger der jeweiligen Hand, mit zur Seite aus-gestreckten Armen, zielgenau auf die Nase zu führen. Ich bin jetzt richtig motiviert und gebe alles, um den guten Eindruck, den ich gerade mache noch zu verbessern und mache die Übung direkt zwei Mal, damit sie sehen kann, dass ich beim ersten Mal nicht nur einen Glückstreffer gelandet habe. Dann setze ich mich vor ihre Füße, wedele mit dem Schwanz und warte auf mein Leckerli. Es ist schon so, die Studie stimmt. Am Ende entscheidet die Frau über den Mann, egal was Mann sich einbildet, das ist wie mit dem Bewusstsein, das Unterbewusstsein hat die Hosen an.

Nachdem ich mir jetzt wie ein Olympiasieger vorkomme, darf ich mich auf die klassische Behandlungsliege setzen, das habe ich mir dann auch redlich verdient.

„So", sagt Michaela, „jetzt noch Blut abnehmen, dann sind wir fertig", ich sage: „Nehmen Sie alles".

Waldorf und Staedler

Nachdem ich fünf Liter Blut gespendet habe, ich kann mich nicht erinnern, dass ich so etwas unterschrieben habe, torkele ich wieder zurück ins Wartezimmer. Wie auch schon bei dem vorigen Test, muß ich mich jetzt erst einmal erholen und freue mich auf ein paar Süßigkeiten, die im Wartezimmer ausgelegt sind.

Als ich um die Ecke komme, ist niemand im Wartezimmer. Alles ok, dann sehe ich, das die Süßigkeiten leergefressen sind. Ich bin fassungslos, wie können die Süßigkeiten weg sein, vorhin waren sie ja da. Ich war ja nicht zwei Tage weg, sondern vielleicht dreißig Minuten. Es muss der pickelige Dicke gewesen sein, der mich schon wegen meines Handys verpetzt hat.

Kennt Ihr das, wenn Ihr Gefühl habt, total unterzuckert zu sein und auf einmal dringend Süßes zu Euch nehmen müsst? Das kann schon mal eine Panikattacke hervorrufen. Ich gehe zur Anmeldung und klopfe an die Türe.

Kennt Ihr das, wenn man sich nicht traut zu stören, weil Ihr eine Bagatell-Bitte habt?

Ich bin ja nicht zum Essen hier, sondern um mich zu rehabilitieren, zu obsiegen im Kampf, mit mir selbst. Allerdings ist das ohne etwas Süßes nicht möglich und so öffne ich die Türe, nachdem ich aus der Ferne immer lauter werdend, "Herein" höre.

Ich schiebe meinen Kopf durch die Türe und frage, wie ein Hund beim Kacken: „Haben sie vielleicht noch etwas Süßes?" In diesem Augenblick wird mir klar, dass ich nicht siebenundvierzig bin, sondern sieben.

Und das alles nur, weil die verpickelte Petze meine Süßigkeiten gefressen hat. Er hat sie gestohlen, um mir zu zeigen, dass er Macht über mich hat. Petze hat sich zu früh gefreut, ich besorge mir eigene Süßigkeiten, und zwar viel bessere.

"Wenn im Wartezimmer nichts mehr ist, dann leider nein" höre ich die Worte, die mein Gesicht wohl so aus der Form gleiten lassen, dass die Sekretärin sofort nachsetzt, "Sie können aber mein Schokocroissant haben, wenn Sie möchten." Mit hängenden Schultern, stapfe ich mit kurzen Schritten, zurück zum Wartezimmer. Ein Schokocroissant ist besser als nichts. Ich will nicht undankbar sein.
Auf meinem Schoß, ein Teller mit Schokocroissant, der Kaffee zu meiner linken auf einem Tischchen das zuvor, für die Aufbewahrung der MPU Broschüren zuständig war.

Ich bin mit meinen Gedanken allein, im Wartezimmer auch und verarbeite was gerade mit mir geschehen ist. Was kann mich wirklich so aus der Fassung bringen, dass ich hier in dieser Umgebung fast einen Zusammenbruch erlitten habe. Ich werde wohl kaum den pickeligen, jungen Mann dafür verantwortlich machen können. Wie immer geht es hier nur um mich oder meine innere Einstellung. Das was ich im Untersuchungszimmer erlebt habe, war wohl kaum traumatisch und die Ärztin ist eine sehr nette Person. Also geht es um meine Ängste und den Stress, den diese ausgelöst haben. Der menschliche Verstand kann einen in den Wahnsinn treiben, oder einfach nur mich. Ich höre auf zu denken und kaue an meiner kleinen Mahlzeit.

Im nächsten Augenblick kommen zwei Männer in das Wartezimmer, sie setzen sich mir gegenüber und fangen an miteinander zu kommunizieren. Ich möchte an dieser Stelle direkt klar machen, dass ich keine Vorurteile gegenüber anderen habe. Ich gebe hier nur wieder, was ich erlebt habe.

Die Männer, ich nenne sie zur Vereinfachung Waldorf und Staedler, für die Leser, die diese Namen nicht kennen, das sind die beiden älteren, lästernden, sarkastischen Herren aus der Muppetshow. Ich gebe ihnen die Namen, die mir zu allererst in den Kopf kommen. Sie sind beide um die vierzig Jahre alt.

Waldorf ist ein kleiner, untersetzter Mann, mit total verfilzten Haaren und hat eine Art Waldarbeiter Uniform an, mit einem Hut, der die Haare nicht verdecken kann, weil er viel zu klein ist für den übermäßig großen Kopf. Auf jeden Fall sieht er aus, wie einer, der gerade aus dem Wald kommt.

Staedler ähnelt Waldorf in gewisser Weise, allerdings hat er ein ganz anderes Outfit, ähnlich wie man sie bei Obdachlosen sieht, ungewaschene Winterjacke mit ungewaschener Hose und Schuhen, die seit langer Zeit keine Reinigung mehr erfahren hatten. Der Geruch, der von ihnen abgesondert wird, ist nicht eindeutig zu definieren, aber ich glaube Ziege und Schweiss stritten darum den Raum mit ihrem Moschus zu erfüllen.

Beide sprechen nicht miteinander sondern es sind Grunz- und Stammel-Laute zu hören. Auch wenn ich wollte, mich an ihr, was auch immer zu teilzuhaben, ich muss diese

Sprache erst lernen, sonst ist eine Teilnahme an dieser Unterhaltung nicht möglich. Das erinnert mich an die Typen in Filmen, die Abhörspezialisten, die auf einmal nichts mehr verstehen und ungläubig ihre Gesichter verziehen. Oh, eine neue kryptische Sprache. Sorry Chief, hier sind wir raus.

Nur, dass ich nicht in einer Kammer unter dem Dach sitze und der Boden voller Essensreste und Müll ist, sondern ich direkt vor ihnen und daran verzweifle auch nur eine Silbe an eine andere zu knüpfen um zwei Silben zu verstehen.

Jetzt mache ich mir schon Gedanken darüber, aus welchem Grund die Beiden hier waren. Sie sehen nicht so aus, als ob sie jemals eine Fahrerlaubnis erlangen können oder schon mal in die Nähe einer Fahrschule auf dem Bürgersteig gestanden haben.

Vielleicht haben sie sich auch in der Türe geirrt, denn in dem Gebäude, in dem die MPU-Gesellschaft ihren Sitz hat, sind auch mehrere Ärzte ansässig, vielleicht auch Logopäden oder Sprachforscher. Ich glaube Waldorf und Staedler sind dort besser aufgehoben, als hier eine Urinprobe oder Ähnliches abzugeben.

Sie würdigen mich keines Blickes und auch die anderen Wartenden, die langsam wieder den Raum füllen werden nicht wahrgenommen und so stelle ich die These auf, dass die beiden Herren in einem Paralleluniversum leben. Was für ein Segen, denke ich. Aber wessen Segen und für wen?

Ich wundere mich über mich selbst, wie ich hier hineingeraten bin. Diese Frage habe ich schon mehrmals beantwortet, aber ein Mal mehr Fragen kann ja nicht schaden. Ich frage mich, ob ich überhaupt eine Ahnung davon habe, wie vielschichtig unsere Gesellschaft ist und wie vielschichtig sie noch werden wird.

Die Szene erinnert mich an einen Sketch von Dieter Hallervorden mit der Tube Pommes, palim palim.

Mein kulinarisches Croissant habe ich schon beinahe vergessen und fange an lustlos auf dem Rest herum zu kauen und so gut wie möglich an das, was mir noch bevorsteht, zu denken. Das Gespräch mit dem Psychologen.

Ich kann mich allerdings nicht davon abhalten mir vorzustellen, wie der Psychologe mit Waldorf oder Staedler an seinem Schreibtisch sitzt und versucht, das Gestammel irgendwie in seinem Computer zu verstauen.

Nach fünfzehn Minuten, kommt die nette Frau aus ihrem Büro, lächelt mich mütterlich an, und sagt mir, daß ich ihr bitte folgen solle, ich bin jetzt dran für das Gespräch mit dem Psychologen.

Ich starrte die Frau überrascht an und erstarre gleichzeitig in meiner Haltung. Ich bekomme leichten Schweiss und hoffe das mein Deo nach den Torturen die ich heute schon erfahren habe, noch in der Lage ist meinen Eigengeruch im Zaun zu halten. Das letzte Stück Croissant würge ich durch meine plötzlich trocken geworden Kehle und vermisse in diesem Augenblick den Schoß meiner Mutter, den ich lange für mich beanspruchen konnte, aber vor siebenunddreißig Jahren damit aufgehört hatte, ihn zu benutzen.

Ich bin wirklich gut vorbereitet, habe ein Jahr lang daran gearbeitet meine Haltung, mein Verhalten und meine

Sichtweise, quasi alles in meinem Leben, zum Positiven zu verändern. Mein nahes Umfeld hat mir mehr als ein Mal bestätigt, dass ich förmlich „metamorphiert" bin, und trotzdem habe ich gerade den größten Bammel, den man sich vorstellen kann. Dabei war ich immer ein absolutes Prüfungsass und hatte nie Angst in den Prüfungen, die von mir verlangt wurden. Aber am heutigen Tag ist eben doch irgendwie alles anders. Ich stehe langsam, mit weichen Knien, von meinem warm gesessen Stuhl auf und verabschiede mich wortlos aus dem Wartezimmer, um der netten Frau zum Büro des Psychologen zu folgen.

Kennt Ihr „Fear and Loathing Las Vegas" mit Johnny Depp? In dem Film wird die Perspektive meist aus der Sicht eines mit Drogen vollgepumpten Junkies gezeigt, alles ist verbogen und verschwommen, die Farben sind nicht übereinander sondern, immer leicht versetzt. Räume bewegen sich und geben einem nicht unbedingt das Gefühl besonders stabil zu sein oder zu stehen.

Genau so fühle ich mich, als ich den schmalen Gang hinunter gehe, der in das Büro des Psychologen führt. Ich denke erst, dass mein Croissant mit LSD versetzt war, aber das kann nicht sein, denn es kommt doch aus der Bäckerei um die Ecke und ich kann mir kaum vorstellen, das der Bäckermeister genau wusste, wann und wie ich dieses, nicht schlecht schmeckende Gebäck zu mir nehmen würde. Aber Moment mal, was wenn die Frau aus dem Büro, die Sekretärin auf LSD ist um jeden einzelnen Tag ihres Daseins in dieser Institution mit diesen ganzen Wracks hier, zu überstehen. Sie hat vergessen das sie das Croissant mit einem doppelten Hoffmann beträufelt hat und ich bin jetzt der Dumme. Ruhig, ganz ruhig.

Ich schüttele leicht meinen Kopf und bekomme wieder klare Sicht. Die Aufregung, endlich den letzten Schritt auf meinen Führerschein zuzugehen, ist wohl größer, als ich dachte und das kann ja gelegentlich dazu führen, daß uns unser Gehirn, vielleicht aber auch nur meins, einen Streich spielt. Die nette Frau, sieht ganz normal aus, öffnet die Türe zum Büro und kündigt mein Eintreten an. Daraufhin verabschiedet sie sich mit einem ermunternden Lächeln, wofür ich in diesem Augenblick sehr dankbar bin.

Die Bewertung der Tests

Ich trete ein, das Büro ist behaglich eingerichtet. Warme Farben an den Wänden ergänzen sich mit einer sachlich, aber farblich passenden Büroausstattung. Es hängen viele Bilder von Künstlern an den Wänden aber auch einige private Bilder, von Kinderhänden gemalt. Ich entspannte mich ein wenig und bin dankbar, als der Psychologe, ich nenne Ihn einfach mal Herr Lieblich, sich hinter seinem Schreibtisch erhebt und mich freundlich begrüsst. Ich werde aufgefordert mich zu setzten und es mir gemütlich zu machen.

Er sagt zu mir, dass es noch einen Augenblick dauert und fragt, ob ich etwas Wasser trinken möchte.

Von der Freundlichkeit und der Wärme, die von diesem Mann ausgeht bin ich angenehm überrascht. Herr Lieblich ist ungefähr sechzig Jahre alt und einen Kopf kleiner als ich. Er ist leicht untersetzt mit einem braungrauen Anzug gekleidet, der sich gut in die Ausstattung seines Büros fügt. Zuerst denke ich daran, daß der Anzug einer Camouflage ähnele, also einer Tarnung, um im Hintergrund seines Büros zu verschwinden und ich dadurch vielleicht nicht abgelenkt werden soll, wenn ich die Fragen, die wohl auf mich zu kommen werden, beantworten soll. Aber dann denke ich ganz entspannt, das es sich einfach um seinen Geschmack handelt den sich Herr Lieblich im Laufe der letzten sechzig Jahre angeeignet hat. Nervös versuche mich auf das zu konzentrieren, was kommt. Woher soll man wissen was kommt? Die vergangenen psychologischen Gespräche kann ich schon mit der Begrüßung nicht vergleichen. Nun versuche ich mich einfach nur auf mich zu konzentrieren und darauf, daß ich nichts zu verbergen habe.

Offen und ehrlich werde ich alle Fragen so korrekt wie möglich beantworten. Ich bin auf dieses Gespräch bestens vorbereitet und habe mir in gefühlt, hunderten Nächten, mein Fehlverhalten vorgeworfen und analysiert wieso ich zu solch einem Public Animal mutieren konnte. Ich bin bereit für meine letzte Prüfung und werde hier bestehen. Ich will einfach wieder Auto fahren und will erleben, daß sich meine Kinder darum zanken, wer jetzt hinter mir sitzen darf, wenn Papa wieder am Steuer sitzt.

Mir wird bewusst, das ich meine Kinder die ganze Zeit seit dem Unfall auf dem Parkplatz des Schwimmbades zu dem Thema beschwindelt habe, warum ich denn nicht mehr Auto fahre. Ich freue mich auf dieses Gefühl, wieder ein vollständiger Vater zu sein, der den Kindern ermöglicht von A nach B transportiert zu werden, wenn es nötig ist. Ganz zu schweigen von meiner wunderbaren Frau, die diese Zeit des alleine Fahrens und der doppelten Last dann endlich überstanden hat und ich wieder voll im Familienleben stehen kann.

Genau deswegen werde ich hier die beste Figur meines Lebens machen, genau deswegen werde ich mir in Zukunft den Arsch aufreißen, um meiner Familie willen.

Ich werde durch die freundliche Stimme von Herr Lieblich aus meinen Gedanken gerissen. Er fragt mich, ob wir beginnen wollen. Ich sage mit sensibel kraftvoller Stimme: „Ja, gerne"! Herr Lieblich informiert mich als Erstes darüber, dass er während des Gespräches, parallel alle Aussagen die ich machen werde, mit seinem Computer erfassen wird.

Damit besteht im Nachhinein die Möglichkeit, Korrekturen vorzunehmen, falls nötig. Wie sonst auch soll es zu einem Gesprächsprotokoll kommen, wenn simultan nicht alles erfasst wird was ich sage.

Ich kenne dieses Procedere schon aus den vorausgegangen MPUs und es macht mir keine Probleme, mich mit einem Bildschirm zu unterhalten.

Als nächstes teilt mir Herr Lieblich mit, wie ich in den Tests abgeschnitten habe, die ich bei der Ärztin und in der Raumstation Orion absolviert habe.

Der Umstand, dass ich dort versagt haben könnte, macht mich etwas nervös. Ich bin zuversichtlich und gespannt. Vielleicht bin ich blöde, aber ausgerechnet bei den Tests zu versagen, ist für mich keine Option.

Die Medizinischen Untersuchungsbefunde

werden im Wortlaut von Herrn Lieblich vorgelesen.

Befund und Laboranalytik.

Die Medizinische Untersuchung wurde gemäß den Anknüpfungstatsachen, auf die sich die behördlichen Eignungszweifel beziehen, durchgeführt. In dieser Untersuchung wurde Herr Höhn ein Fragebogen zur allgemeinen Anamnese zu Krankheiten und zu den Trinkgewohnheiten erhoben. Angaben aus dem Fragebogen werden nur dann zusätzlich aufgeführt, wenn sie im Widerspruch zu den mündlichen Aussagen stehen. Es wurde eine orientierende körperliche Untersuchung durchgeführt, gleichzeitig wurden die Ergebnisse auf den Anlass bezogenen Laboruntersuchung mit verwendet.

Allgemeine Anamnese

Zum Zeitpunkt der Untersuchung, bestanden nach Angaben von Herrn Höhn Wohlbefinden und volle Leistungsfähigkeit. Aktuelle und oder nicht ausreichend therapierte Erkrankungen, die im Hinblick auf die Fahreignung verkehrsmedizinische Bedeutung besitzen, wurden im ärztlichen Gespräch und Fragebogen nicht erwähnt.

Die Einnahme von Medikamenten und Nikotinkonsum wurde verneint. Ein Drogenkonsum wurde von Herrn Höhn verneint.

Herr Höhn verneinte auch die Frage nach einer Zusammenhang zwischen den straf- und oder verkehrsrechtlichen Verstößen und die gesundheitlichen Beschwerden und Erkrankungen.

Nur mal so nebenbei bemerkt. Wenn man hier etwas Falsches sagt, ist das in der Aktenhistorie sofort zu erkennen und man wird als Lügner enttarnt. Mann kann sich also nicht einfach neu erfinden. Sich eventuell darauf zu berufen, dass man total krank gewesen ist oder durch den ganzen Drogenkonsum aus der Vergangenheit einfach keinen klaren Kopf mehr gehabt hat. Ausserdem ist es natürlich logisch, dass man sich nicht mit Drogen hinters Steuer setzen sollte.

Anamnese zur Alkoholfahrt

„Herr Höhn wurde nach früheren und jetzigen Trinkgewohnheiten befragt:

Alkoholfahrt am 13.10.2002 mit 1,86 Promille.

Am Delikttag habe er auf einer Party „sehr viel" Weinschorle und Jägermeister konsumiert. Er sei betrunken gewesen, habe aber keinen Filmriss gehabt.

Die Frage soll erlaubt sein, warum hab ich keinen Filmriss gehabt. Wie kann es sein, wenn man so viel Alkohol im Blut hat, dass man sich da noch an jede Kleinigkeit erinnern kann. Die Antwort ist einfach, ich habe viel geübt, trainiert, und dafür gesorgt, dass ich, auch wenn ich voll wie eine Haubitze war, scheinbar immer noch in der Lage war, ein Auto aufzuschliessen und zu bewegen.

Also weiter im Text mit der Anamnese.

Zu jener Zeit habe er regelmässig an den Wochenenden Bier, Cocktails und auch Jägermeister konsumiert. Er habe oft bis zum Rauschzustand getrunken. Unter der Woche habe er sehr selten Alkohol getrunken.

Nach dem Delikt habe er sein Trinkverhalten zunächst kaum verändert. Mit der Zeit aber habe er sukzessive immer weniger Alkohol konsumiert.
Heute trinke er selten und in unregelmässigen Abständen Alkohol, im Schnitt etwa zwei mal pro Monat 1-2 Gläser Wein.
Bei Herrn Dipl. Psych. R. Ehrlich, Praxis Karin Meyer, habe

er sich am 20.01.14 bis zum 05.01.2015 einer fach-therapeutischen Maßnahme unterzogen (Bescheinigung eingesehen).

Im Übrigen ist auf die psychologische Untersuchung zu verweisen, die sich ausführlich mit dem Trinkverhalten beschäftigt."

Alle diese Angaben habe ich bei der Ärztin gemacht, mit der ich so viel Freude hatte. Die Befragung dient nur einem Zweck. Ist der Idiot der diese MPU in seinem Namen beauftragt und bezahlt, in der Lage eine konstante Geschichte zu erzählen ohne sich zu Widersprechen, auch wenn er gefühlt zwanzig mal danach befragt wird? Hat er sich und sein Verhalten geändert, oder tut er nur so?

Ich schreibe dies, weil ich insgesamt, wie auch zu lesen sein wird, noch mehrfach ähnlich befragt werde.

Im Anschluss werden meine Blutwerte dargestellt, die ich Ihnen aber vorenthalten werde. Ich möchte euch ja nicht mit einer Form des tabellarischen Lebenslaufes langweilen.

Wichtig ist hier nur, das alle meine Blutwerte in Ordnung waren und heute hoffentlich noch sind. Man weiss ja nie.

Leistungstest

Jetzt ist Raumschiff Orion an der Reihe. Ich bin immer noch leicht nervös, obwohl, ich mir jetzt schon hundert mal Mut zugesprochen habe. Es wird schon alles gut gehen.

Herr Lieblich beginnt vorzulesen und mir noch mal deutlich zu machen was und wie ich vorhin in der Gästetoilette des Einfamilienhauses alles geleistet habe, oder auch nicht.

„Zur Klärung der psychischen Leistungsfähigkeit werden psychologische Verfahren angewendet, welche die Leistung einer Person in verkehrsbedeutsamen Bereichen der visuellen Wahrnehmung, Konzentration, Reaktionsfähigkeit, Aufmerksamkeit und Belastbarkeit be stimmen.

Die Leistungsuntersuchung der verkehrspsychologisch rele- vanten Dimensionen wurde mit einem computer unter- stützten Testgerät (Die Maschine aus dem All) für die Fahreignungsdiagnostik durchgeführt.

Die Darstellung der Testergebnisse erfolgt in Prozenträngen. Ein Prozentrang sagt aus, wie viel Prozent aller Personen einer vergleichbaren Gruppe niedrigere Messwerte bei einem Testverfahren erzielen."

Ich hoffe, es gibt noch dämlichere Typen als mich, dann denke ich an das Wartezimmer und beruhige mich wieder ein wenig.

„Die beste Leistung hat den Prozentrang 100, die schwächste den Prozentrang 0. Eine ausreichende Leistungsfähigkeit liegt in der Regel dann vor, wenn bei Bewerbern und Inhabern von Fahrerlaubnisklassen, der Gruppe 1, (in dieser Gruppe bin also ich, für Auto und Motorradführerschein, und jetzt kommt es, ein Prozentrang von 16 und mehr erreicht wird.

Bei Bewerbern wie Inhabern von Fahrerlaubnisklassen der Gruppe 2, also Lastwagen und ähnlich muss man schon einen Mindestprozentrang von 33 vorweisen.

Vor jedem Test erfolgt eine Instruktions- und Übungsphase, (an die ich mich nicht mehr erinnern kann) in der sich der Klient mit dem Test vertraut machen kann."

Hätte ich das gewusst, dann hätte ich viel besser abgeschnitten, aber noch habe ich ja meine Ergebnisse nicht.

„Zuvor wurde Herr Höhn ausdrücklich nach einer eventuellen erschwerenden Bedingungen wie Hör- oder Farbschwächen befragt. Die angegebenen Prozentränge ergeben sich jeweils durch Vergleich mit der alters-unabhängigen Normstichprobe."

Tachistoskopischer Verkehrsauffassungstest

Prozentrang 83

Herr Lieblich liest diesen Wert mit großem Erstaunen, ich würde mal sagen, einer gewissen Achtung, vor und sieht mich dabei anerkennend an. „Dies ist ein sehr sehr guter Wert, eher selten. Ich habe damit einen sehr großen Überblick im Strassenverkehr, was ja auch eine wichtige Voraussetzung für den Strassenverkehr ist" sagt Herr Lieblich.

Ich bin stolz. Ich habe nicht damit gerechnet, dass ich in einem von diesen Tests, eine gute Bewertung erzielen könnte.

Andererseits ist es nach der eigenen Selbsteinschätzung so, das die anderen Verkehrsteilnehmer noch weniger vom Strassenverkehr mitbekommen als ich, was soll mir das sagen? Ich weiss es, denke ich: „Pass noch mehr auf und fahre in Zukunft sehr sehr vorausschauend, andere tun dies vielleicht nicht."

Der Linienverfolgungstest

Mich überkommt ein ungutes Gefühl. Wie auch bei den anderen Tests, aber ich bin tapfer und zuversichtlich, dass ich die 16 Prozentränge geschafft habe.

Mit einer etwas zurückhaltenden Stimme liest er mir das Ergebnis vor und ich ahne schon da ist vielleicht nicht alles so rosig.

Prozentrang 30

„Das ist ein nicht so guter Wert" sagt Herr Lieblich. Jetzt habe ich ein Problem, denke ich und meine Hände werden feucht. Der Test wird nicht nur nach Geschwindigkeit geprüft, sondern im Verhältnis Geschwindigkeit und richtigen Ergebnissen. Hier ist das minimum Prozentrang 17. Puh, Mund abwischen, weiter machen.

Ich habe mir viel Zeit gelassen bei dem Test um alles richtig zu machen, das ist aber leider falsch. Besser wäre es gewesen, wenn ich auch ein paar Fehler in Kauf genommen hätte, dann wäre der Test wohl besser bewertet worden. Egal, ich habe auch diesen Test bestanden und warte jetzt gespannt auf das Ergebnis des letzten Tests bevor das psychologische Gespräch beginnt.

Determinationstest

Prozentrang 56

Zeitgerechte: 46

Richtige: 29

Damit bin ich aus dem Schneider und froh, dass ich das Höllenszenario in der Gästetoilette gut überstanden habe.

Jetzt geht es ans Eingemachte, vorher werde ich noch über folgendes aufgeklärt.

Nur um das zu klären, ich zitiere aus dem Gutachten, welches mir von der MPU Gesellschaft zugesendet wurde. Aus diesem Grund schreibe ich nun wieder in der Vergangenheitsform.

Um eventuellen Missverständnissen vorzubeugen, wurden die Äußerungen von Herrn Höhn während des Gesprächs sinngemäß zusammengefasst, bzw. teilweise auch wörtlich mit dem PC mitgeschrieben und am Schluss ausgedruckt. Diesen Ausdruck konnte Herr Höhn durchlesen und ggf. korrigieren. Die Korrekturen wurden in den Text aufgenommen und dabei durch Streichungen bzw. kursive Schreibweise kenntlich gemacht. Herr Höhn wurde zu Gesprächsbeginn über die Notwendigkeit von Offenheit sowie den Sinn, die Zielsetzung und die wesentlichen inhaltlichen Aspekte des Untersuchungsgesprächs (Einstellungs- und Verhaltensänderungen sowie deren Stabilität) informiert; ausserdem wurde Herr Höhn auf die Bedeutung unrealistischer, widersprüchlicher Angaben für das Ergebnis der Begutachtung hingewiesen.

Im Klartext bedeutet der letzte Absatz, hast Du verstanden Kollege? Wenn du hier was werden willst, dann erzähl uns jetzt bitte keine Scheisse, wir finden das heraus und dann hast du die 575 Euro vergeblich bezahlt, und der Lappen kommt auch nicht mehr so schnell wieder.

Ich hatte nichts dergleichen vor, denn ich verfolgte ein Ziel, und ich war nicht mehr weit entfernt. Herr Lieblich fragte mich was, er fragte nach meiner persönlichen, jetzigen Situation.

Herr Höhn gab an, er sei zum Zeitpunkt der Untersuchung 47 Jahre alt. Er sei seit 2012 in 2. Ehe verheiratet. Er habe Zwillinge. Er habe den Beruf des Regisseurs ausgeübt und sei derzeit auch in diesem Beruf tätig. Als Hobby und Freizeitbeschäftigung gab er Golf, Tauchen, Ski und Schwimmen an.

Die Idee mit dem Buch kam erst später, sonst hätte ich noch angehender Schriftsteller erwähnt.

Die Fahrerlaubnis der Klassen 1 und 3 hat Herr Höhn nach eigenen Angaben erstmals 1985 erworben und dabei eine durchschnittliche jährliche Fahrleistung von ca. 20000 Kilometer erzielt.

Das psychologische Gespräch

Zunächst wurde ich gefragt, was ich heute in der Untersuchung deutliche machen wolle.

Ich gab an: Ich habe eine sehr egozentrische Lebensweise hinter mir. Ich sei früher nach der Trunkenheitsfahrt skrupellos jahrelang weiter ohne Fahrerlaubnis gefahren. Früher bin ich ein egoistischer und selbstbezogener Mensch gewesen. Mit dem letzten Vorfall im Juli 2013 sei ich aber wachgerüttelt worden, mir sei klar geworden, dass mein Leben so nicht weiter gehen konnte. Ich habe jetzt eine andere Einstellung zu den Regeln. Ich habe auch eine andere Einstellung, welche meine Verantwortung für andere Verkehrsteilnehmer betreffe. Ich habe früher viel Alkohol getrunken. Ich habe mein Verhalten zum Alkohol verändert. Ich trinke heute den Alkohol nicht mehr, um einen Rausch zu erleben, sondern nur noch zum Genuss. So sind die Mengen, die ich heute konsumiere auch viel geringer.

Bäm. Wenn ich das heute lese, nur den letzten Absatz, wird mir immer wieder klar, dass dieser Mensch, der diese Aussagen hier getätigt hatte, auf einen Menschen zurückblickt, den er gar nicht kennt.

Die Bedeutung, dieser Sätze ist schwerwiegend, denn wenn man zum ersten Mal diese Sätze spricht, weiss man, dass man große Scheiße gebaut hat. Das man nicht in der Lage war, sein Leben sinnvoll zu gestalten, nicht im Hier und Jetzt gelebt hat, sondern in einer Scheinwelt. In einer Welt, die für einen Menschen nichts über hat, außer Probleme, mit sich selbst und seinen Mitmenschen. Der Strassenverkehr ist genau das, die tägliche Konfrontation mit unserer Gesellschaft. Wenn ich heute mit dem Auto über Deutschlands Straßen fahre, dann tue ich dies mit dem Gefühl und dem Gedanken der Empathie, dass auch der andere Autofahrer vielleicht heute nicht seinen besten Tag haben könnte. Also nehme ich Rücksicht, auch wenn andere Fahrzeugführer dies vielleicht nicht tun. Ich gebe mir größte Mühe, so gut wie möglich zu bestehen, im Karussell des Strassenverkehrs.

Zum Vorfall am 13. 10 2003. Dies war der Tag an dem ich den Führerschein verloren hatte.

Ich gab an, das ich mit meiner damaligen Frau und ihres Cousin`s, zu einer Party nach Köln gefahren sei.
Ich wohne fünfzig Kilometer von Köln entfernt. Eine nicht unerhebliche Strecke, für Hin- und Rückfahrt.
Auf dieser Party spielte die Band, die auch auf meiner Hochzeit gespielt hatte, und eine unglaubliche Show ablieferte. Es waren zehn Bandmitglieder, die ein Feuerwerk abbrannten und sich dies, für alle Ihre Auftritte auf die Fahne geschrieben hatten. Alle Musiker und Sänger/innen waren im Outfit der 60er-70er Jahre und im Stile einer Bigband unterwegs. Die Musik war ebenfalls aus dem gleichen Jahrgängen und wenn die Band anfing zu spielen, dann brannte die Luft.

Von ca. 21 Uhr an habe ich begonnen zu trinken. Zunächst habe ich Weinschorle getrunken. Wie das Verhältnis Wasser zu Wein war, konnte ich nicht sagen. Ich hatte ca. fünfzehn Gläser je 0,1 L getrunken. Später trank ich noch Jägermeister. Fünf Stück mindestens, ich kann es heute nicht mehr sagen, ich hatte den Überblick verloren.

Auf die Frage ‚warum ich so viel getrunken hätte, antwortete ich: „Diese Mengen sind nicht unüblich gewesen. Viel zu trinken, wenn der Anlass da da war, war normal." Es war also nichts Ungewöhnliches sich und seinen Körper in dieser Form zu vergiften.

Im Laufe des Abends kam es auch noch zu einem Eifersuchtsstreit mit meiner Frau. Für mich war die Situation sehr surreal. Ich konnte die Situation nicht mehr richtig einschätzen, ich konnte, nachdem ich von meiner Frau zu Rede gestellt worden war, nicht mehr wirklich argumentieren, ob ich mich falsch verhalten hatte oder nicht. Die Situation verschärfte sich soweit, dass die Band zwischenzeitlich aufgehört hatte zu spielen. So intensiv war der Streit. Nachher wurde ich von einem Bandmitglied zur Toilette gerufen, weil meine Frau sich in der Toilette eingeschlossen hatte und dabei war, sich selbst zu verletzen. Ich konnte sie nicht dazu bewegen die Türe zu öffnen. Ich musste die Türe eintreten um Zugang zu meiner Frau zu bekommen, die selbst sehr betrunken war und einen Nervenzusammenbruch erlitten hatte.
Ich konnte meine Frau wieder beruhigen, da mein Adrenalinschub den ich bekommen hatte, mich scheinbar wieder nüchtern hatte werden lassen. Ich entschied, das wir nach Hause müssten.

Also führte ich den Cousin, meine Frau, und mich zum Auto um nach Hause zu fahren. Meine Frau wollte noch selbst fahren, ich sagte aber, dass ich lieber selbst fahren wollte, sie könne in ihrem Zustand ja nicht mehr fahren.

Das ich den Zustand meiner Frau gut und klar beurteilen konnte, meinen volltrunkenen Zustand aber nicht ist schon bemerkenswert. Auch wenn das Adrenalin mir einen nüchternen Zustand vorgaukelte, ich hatte den ganzen Abend gesoffen, es war ca. zwei Uhr nachts, ich war voll wie eine Haubitze und machte meiner Frau Vorschriften. Verrückt!

Da dies ja nicht meine erste Alkoholfahrt gewesen war, hatte ich im Laufe der Jahre so eine Art von „Das geht schon Mentalität" entwickelt. Durch den hohen Alkoholkonsum verschwimmt die Realität. Es fördert meine Scheiss-Egal Einstellung.

Ich hatte den Streifenwagen nicht gesehen, als wir die Lokalität verließen. Ich hatte aber nicht im geringsten darüber nachgedacht, dass Polizisten mich gesehen haben könnten. Null Bezug zur Realität.

Ich stieg also zielsicher in den Wagen, startete den Motor und fuhr los. Ich wendete den Wagen und fuhr direkt an den Polizisten vorbei. Sie ließen mich 500 Meter gewähren, bevor sie mich rauswinkten.

Wie kann es zu einer solchen Situation kommen? Wie kann es passieren, das man so ein Schwachkopf wird, der sich und seine Mitmenschen in so eine Lage bringt. Bei mir war das ein langer Prozess. Ein Entwicklungsprozess, der vorauszusehen war. Nur so kann ich mir erklären, dass mir dieses beschämende Erlebnis widerfahren ist. Wie heisst es so schön, „Jeder ist seines Glückes Schmied."

Es stellt sich die Frage, will man das Eisen seines Lebens immer wieder und wieder bearbeiten, damit man sich weiter entwickeln kann, oder will man, dass dies andere für einen erledigen? Ich habe meine Schlüsse gezogen und kann nur empfehlen, sich sofort an die Arbeit zu machen.

Zum Vorfall am 05. 10. 2005 gab ich an, das ich damals, unter anderem in meinem Familienunternehmen arbeitete. Auf dem Weg Drucksachen auszuliefern, war ich auf der Autobahn unterwegs und hantierte dauerhaft mit dem Handy rum. Aus diesem Grund war ich irgendwann auch zwei zivilen Autobahn-Polizisten aufgefallen, die zehn Minuten hinter mir her fuhren, während ich etwa jede Minute eine weitere Verkehrsregel brach.

Als mich das Polizeifahrzeug schließlich überholte und die Kelle aus dem Fenster winkte, ging mir der Arsch auf Grundeis. Die Polizisten kontrollierten mich, ich hatte keine Papiere dabei und als sie mich fragten, ob ich einen Führerschein hätte, belog ich sie eiskalt, wie auch sonst wenn die aktuelle Arschtemperatur auf 50 Grad minus zu messen war.

Ich durfte nur weiterfahren, weil die damaligen Abfragerotinen, von einem Polizeifahrzeug aus, noch nicht so gut waren wie heute. Wie sollte ich denn von Bonn aus wieder nach Hause kommen. Ich meiner ganzen Familie erklären müssen, dass ich schon seit drei Jahren ohne Führerschein durch die Welt fuhr. Ich hatte Angst und fühlte mich schäbig.

Mir ist klar gewesen, dass ich nicht hätte fahren dürfen, aber ich habe mich erstens sehr geschämt einzugestehen, dass ich keinen Führerschein mehr hatte. Andererseits wollte ich mir vom Staat nicht vorschreiben lassen, dass ich auf einmal nicht mehr Auto fahren durfte. Das hatte etwas mit Rechtsbeugung zu tun.

Ich wollte ein Bild der Stärke von mir aufrecht erhalten. Schwäche war für mich keine Option, das verbot sich von selbst. Ich wollte meinem Vater imponieren, wollte, dass er und alle anderen mich toll fanden. Leider ein völlig falsches Motiv.

Als ich meine Eltern einweihte, dass ich keinen Führerschein mehr hätte, wunderte ich mich sehr über ihre Reaktion. Statt Vorwürfe erfuhr ich viel Anteilnahme. Ich hatte mir ganz umsonst Sorgen um Unbill und Schmach gemacht. Was für ein Irrsinn.

Ich hatte zu dieser Zeit keine Beziehung zu Regeln. Alles was mit Regeln zu tun hatte, war für mich problematisch. Warum? Das hatte ich in meiner Familie gelernt, schon mein Großvater und auch mein Vater hatten sich über Regeln hinweg gesetzt. Wenn dies auffiel, wurde versucht mit verdrängen oder Geld das Problem zu lösen. So ist auch in mir die Einstellung gewachsen, dass ich mich über Regeln hinweg setzen könne, ohne dass es große Probleme gäbe.

Ich bin jahrelang besoffen gefahren und habe auch noch ganz andere Dinge gemacht, die nichts mit dem Straßenverkehr zu tun haben, aber nicht minder schwere Straftaten sind. Ich kann das hier jetzt nicht näher ausführen, ich kann nur sagen, dass ich, bis zu der Zeit, als das scheinbare Glück mich verließ, ich wiederum solches hatte, dass ich froh sein konnte noch zu leben. Die Art und Weise, das Leben zu leben, oder besser an sich vorbeiziehen zu lassen, ohne, dass mir etwas Schlimmes passiert ist, hat mich glauben lassen, ich könne mir alles erlauben.

Ätsch, Pech gehabt, ist nicht so. Denn alles, was Du ins Universum, raushaust verschwindet nicht. Es wartet nur darauf, bis du das was Du verteilt hast, dir wieder zurück zahlen kann. Also liebe Leute, gebt Gutes in die Welt und euch wird Gutes widerfahren.

Ich war öfter aufgefallen ohne Fahrerlaubnis. Ich habe die Strafen bezahlt und dann war die Sache damit für mich erledigt.

Ich hatte die Umstände einfach abgetan und verdrängt. Wenn ich heute darüber nachdenke, stelle ich fest, dass dies ein großer Realitätsverlust gewesen ist. Ich habe mir damals auch keine Gedanken darüber gemacht, wie es anderen dabei geht, wenn ich mich wie die Axt im Walde benommen habe und scheinbar dauernd gegen Regeln verstieß.

Heute ist das anders, heute empfinde ich viel mehr Empathie anderen Menschen gegenüber.

Woran man das erkennen kann? Ich habe zuletzt im Schauspiel-Coaching gearbeitet. Vorher als Regisseur habe ich die Einstellung gehabt, dass der Schauspieler machen müsse, was ich von ihm verlange. Beim Coaching bin ich darauf angewiesen, dass ich mich auf die Schauspieler einlasse. Ich berücksichtige jetzt auch, wie ich als Mensch auf andere wirke.

Wenn ich früher einen Raum betreten habe, dann wollte ich, dass mich die Menschen wahrnehmen und mir ihre Aufmerksamkeit schenken. Heute möchte ich lieber nicht gesehen werden oder auf der gleichen Ebene wie meine Mitmenschen sein. Ich gehe mehr auf Menschen ein und versuche mein Gegenüber besser zu verstehen.

Ob ich mir bewusst gewesen bin, dass man während des Fahrens nicht mit dem Handy telefonieren darf? Das war mir natürlich klar. Auch da hatte ich mich wieder über die Regeln hinweg gesetzt. Heute sehe ich es als unglaublich gefährlich an mit dem Handy beim Fahren zu telefonieren. Da habe ich früher nicht drüber nachgedacht. Ich hatte gedacht, dass ich alles meistern und jonglieren könnte. Da habe ich mich selbst überschätzt. Ich sehe heute, wenn ich 50 km/h schnell fahre, dabei 2 Sekunden auf das Handy gucke, dass ich viele Meter zurückgelegt habe, bei denen ich nicht mit der richtigen Aufmerksamkeit im Verkehr bin. Das könnte zu einem Unfall führen.

Ob ich nach dem Vorfall mir überlegt habe was zu ändern? Nein, in keiner Weise. Ich habe weiter gemacht wie bisher.

Ahhhhhhhhhh

Zum Vorfall am 27. 11. 2007, einen Tag nach meinem 40. Geburtstag, gab ich an, dass ich mich nicht an den Vorfall erinnern könnte, obwohl es einen Tag nach meinem 40. Geburtstag war. Ich hatte keinen Filmriss, oder war anderweitig geistig ausgefallen. Ich war einfach nur permanent ohne Führerschein gefahren.
Ob ich denn keine Befürchtung hatte, dass das Fahren ohne Führerschein für mich weitere Konsequenzen haben würde?

Diese Gedanken hatte ich erfolgreich verdrängt. Nur mit Verdrängung konnte ich so abgebrüht sein, permanent gegen geltende Gesetzte zu verstoßen. Ich hatte zwar schon erkannt, dass mit den immer höheren Strafen die „Einschläge" immer näher kamen, aber Konsequenzen zu ziehen, war noch nicht am Horizont aufgetaucht.

Zum Vorfall am 18. 10. 2010 gab ich an, das ich meine Kinder morgens in den Kindergarten gebracht hatte. Auf der Rückfahrt nach Hause hatte ich ein Handy in der Hand. Ein aufmerksamer Motorradpolizist hatte mich dabei gesehen und mich verfolgt. Ich dachte zuerst ich könnte auf einen privaten Parkplatz eines Unternehmens flüchten, konnte dies aber irgendwie nicht über mich bringen. Kurios ist, dass man sich sehr sicher fühlt, wenn man jahrelang nicht erwischt wird und denkt alles ist gut. Ist es aber nicht.

Ich hatte keine Papiere dabei, auch keinen Führer schein. Ich fuhr das Auto meiner damaligen Freundin, meiner heutigen Frau. Als ich mit dem Polizisten nach Hause kam, um meine Personalien festzustellen, meine Frau saß am Esstisch und wunderte sich darüber, dass die Polizei mit in meinem Kielwasser war. Ich tat so als suchte ich meinen Führerschein. Nach einiger zeit log ich, dass ich meinen Führerschein verlegt hätte und wies mich mit meinem Personalausweis aus. Der Polizist sagte im Hinausgehen, dass es ernste Konsequenzen haben würde, wenn ich keinen Führerschein hätte und schloss die Wohnungstüre.

Meine Frau sah mich ungläubig an. Ich hatte ein sehr schlechtes Gewissen mit in etwa den ausmaßen des Nanga Parbat. Für diejenigen die sich in Geografie oder im Himalaya nicht auskennen, ist einer von den 8000dern. Reinhold Messner hat ihn ohne Sauerstoffmaske bestiegen und seinen Bruder dabei verloren. Danach war auch für ihn nichts mehr so, wie es mal war. Es ist also nicht immer von Vorteil seinen Willen durchzusetzen.

Ich schlug mich mit meinem Gewissen ungefähr zwei Tage herum, bis ich eines Abends im Bett meiner Frau gestand, das ich schon seit 2003 keinen Führerschein mehr hatte. Sie lag dabei mit ihrem Kopf auf meiner Brust. Dieser schnellte dann aber in Lichtgeschwindigkeit in die Höhe und ihre Augen, sahen mich mit einem Unverständnis an, dass ich dachte meine Beziehung sei zu Ende. Nicht, weil ich ohne Führerschein gefahren war, sondern weil ich ihr nicht die Wahrheit gesagt hatte. Wenn meine Frau eins nicht leiden kann, dann sind das Lügen. Lügen, die ich ja täglich gelogen habe, um nicht wie ein Idiot dazustehen. Ich stellte schnell fest, dass es sich viel idiotischer anfühlt bei einer Lüge erwischt zu werden als zu lügen. Lügen aus Eitelkeit ist die dämlichste Handlung überhaupt.

Meine Frau verlangte das ich nicht mehr fahren würde. Ich hielt mich auch ein paar Wochen dran. Aber dann setzte sich mein starker Egoismus gegen meine Intelligenz durch, die ich zweifellos besitze, nur nicht genau wusste, wie ich denn auf sie zugreifen könnte.

Meine Frau konnte sich auch nicht gegen mich durchsetzten und hatte irgendwann einfach kapituliert. Bis zum Vorfall vom 22. 07. 2013

Zum Vorfall vom 22. 07. 2013 gab ich an, dass ich mit meinem Kindern, einen Tag nach ihrem 7. Geburtstag, zum Schwimmen gefahren war. Meine Schwiegermutter meinte während des Geburtstages, das dort eine tolle Kinderaktion sei, viele Hüpfburgen und alles Mögliche. Wir hatten einen tollen Tag, meine Schwiegermutter war auch mitgekommen, allerdings mit ihrem eigenen Auto. Als wir das Schwimmbad wieder verließen, wir waren in einer sehr gelösten Stimmung, öffnete ich für meinen Sohn die Türe hinten links, weil er immer hinter mir sitzen wollte wenn ich Auto fuhr. Ich öffnete die Türe nur so, dass sie angelehnt war, damit er es einfacher hatte sie zu öffnen und nicht mit der Türe ein anderes Auto beschädigte, wenn er sie mit zu viel Kraft öffnen würde.

Ich hatte nicht darauf geachtet, das mein Sohn auf der rechten Seite hinten eingestiegen und durchgerutscht war. Und so blieb die Türe hinten links offen angelehnt. Dadurch, dass mein Auto, ein fast neuer Volvo V70, weniger als 5 km/h fuhr, zeigte er mir im Display leider nicht an, dass die Türe hinten links noch geöffnet war. Ich hatte es schlauerweise vergessen. Als ich den Parkplatz verlassen wollte, kam mir ein alter BMW entgegen. Die Straße auf dem Parkplatz war eng, ich beschleunigte auf zehn km/h, mein Sohn sagte, dass die Türe auf schwang, mein Display meldete Türe offen und machte pling pling und die Fahrerin des BMW hupte. Gleichzeitig schlug die Türe im Kotflügel des BMW ein und hinterließ eine fette Beule.

Ich dachte, was für eine Scheisse und wollte erst meinem Sohn die Schuld in die Schuhe schieben, da er die Türe nicht geschlossen hatte. Aber falsch gedacht. Ich war es der die Türe offen ließ, der sie anlehnte und der nicht darauf achtete, das mein Sohn von der anderen Seite ins Auto stieg. Die Fahrerin des BMW stieg aus dem Auto und besah sich den

Schaden. An meiner Türe war nichts, nicht mal ein Kratzer. Ich ging auf sie zu und erklärte, dass ich ja schuld sei, ich würde ihr meine Unterlagen und Papiere geben, die ich nicht dabei hatte und dann würde die Versicherung das klären. Sie entgegnete nur: „Ich muss mit meinem Mann telefonieren, ich denke aber eher, ich rufe die Polizei."

Intermezzo

Oh Gott, warum? Ich hatte mich gerade wieder über eine Führerscheinanmeldung informiert und wollte, es waren ja zehn Jahre vergangen, meinen Führerschein neu machen, weil ich dachte so komme ich um eine MPU herum, die ich ja nie im Leben bestehen würde.
Sie unterrichtete mich nach dem Telefonat mit ihrem Mann, das sie die Polizei rufen würde.

Meine Knie wurden weich, ich wurde panisch. Mir war nach Heulen zu Mute. Ich belog die Frau, dass ich meinen Führerschein verlieren würde, wenn ich jetzt mit der Polizei Ärger hätte, aber sie blieb hart.

Ich stand da wie ein jämmerlicher Haufen Scheisse. Meine Kinder standen um mich herum und verstanden die Welt nicht, ich sagte, wir müssten auf die Polizei warten, weil wir einen Unfall hatten, sie wussten nicht, wie ich mich fühlte aber sie konnten es spüren. Sie konnten sehen, das es mir nicht gut ging. Es war Sommer, 28 Grad im Schatten und wir hatten einen schönen Tag, der sich für mich auf einmal in die Hölle verwandelte. Ich spürte, dass ich in den größten Schwierigkeiten steckte.
Die Polizei kam, es waren ein Mann und eine Frau, ich gestand, dass ich keinen Führerschein hatte.
Sie sahen, dass es mir dreckig ging und waren sehr mitfühlend mit mir. Trotzdem war ich ein aufgeflogener Straftäter, der mit seinen Kindern in der Sonne stand und um sein Leben schwitzte.
Nach dem die Polizei gefahren war, sagte mir die Betroffene, dass es ihr sehr leid tue, sie aber nicht gegen ihren Mann

entscheiden könne. Ich verstand dies. Ich hätte nicht anders reagiert.

Ich rief meine Frau an und erzählte, was passiert war. Sie war in Köln arbeiten und musste einigen Aufwand auf sich nehmen, um ihren Mann und ihre Kinder aus der Scheisse zu holen.

Ich wurde, als wir zu Hause waren, noch nie so heftig angeschnauzt. Ich fing an zu heulen und war ein Haufen elend.

Dies war der Punkt, an dem ich erkannte, dass es mit meinem Leben so nicht weiter gehen konnte. Ich musste mich ändern, sofort, sonst würde es böse enden.

Nach acht Wochen, ich fuhr seit dem Vorfall keinen Meter mehr, kam der Brief vom Gericht. Ich bekam vier Monate Gefängnis auf Bewährung und 1200 Euro Geldstrafe, meine Frau 600 Euro, weil sie zugelassen hatte das ich mit dem Auto gefahren war..
Oh Gott, jetzt erst wurde mir bewusst, dass ich ein Krimineller war. Ein Verbrecher, einer dem ich eine reinhauen würde, wenn er mir ins Auto mit meinen Kindern oder mit meiner Frau gefahren wäre. Am liebsten hätte ich mir selbst eine geknallt.
Ich ging zum Rechtsanwalt und legte die Karten auf den Tisch. Der Anwalt beantragte Akteneinsicht, diese ließ ihn hinten überfallen, weil ich ein paar Vorfälle im Erstgespräch nicht erzählt hatte, ich hatte sie vergessen oder vergessen wollen.

Der Anwalt sagte mir, dass ich meinen Führerschein niemals wieder bekommen würde, wenn ich nicht Folgendes tun würde. Einzelstunden Verkehrspsychologe, am besten so viele wie möglich, nie mehr ohne Führerschein fahren und eventuell Abstinenznachweis, weil ich ja wegen Alkohols aufgefallen wäre. Auch wenn es schon zehn Jahre her sei.

Meine Frau drohte mir indirekt mit Scheidung. Das war für mich die größte Katastrophe und ich wusste, dass ich den größten Mist des Jahrhunderts gebaut hatte.

Das ist vielleicht nicht mit dem Einmarsch der Amis in den Irak vergleichbar, in unserer kleinen Welt aber schon.

Da sitze ich wie ein begossener Pudel und denke, gut gemacht Oli, wirklich richtig gut gemacht, leg dein Leben doch komplett in die Hände anderer. Menschen, die dich nicht kennen, denen es im Großen und Ganzen egal ist, wie es dir geht oder was mit dir ist. Ich muss mich komplett neu beweisen. Beweisen darin, dass ich noch ein vollständiges Mitglied dieser Gesellschaft sein kann. Ich muss es vor dem Verkehrspsychologen beweisen, vor dem Richter oder der Richterin und vor allem vor mir, meiner Frau und Familie. Ich habe mich blamiert, bis auf die Kochen, also, geh es an, zeige das es möglich ist, sich zu verändern, Werte neu definieren und besonders, akzeptiere, dass es Regeln gibt, die du beachten solltest. Sonst wird es nix mit dir.

Ich brauchte noch ca. 3 Monate, bis ich den richtigen Psychologen für mich gefunden hatte. Das war enorm wichtig für mich. Es war kein Psychologe, den ich super leiden konnte. Es war auch keiner, der mich super leiden konnte, es war einer, bei dem ich das Gefühl hatte, dass ich hier keine

Schauspielerarbeit abliefern konnte um mich irgendwie durchzumogeln. Ich wollte mich nicht durchmogeln. Ich wollte, dass ich mich seelisch auf links drehen würde. Ich wollte das ich mit einem starken neuen Bewusstsein zurück in den Alltag ziehen konnte. Wenn ich mir den Arsch dafür aufreissen musste, bitte, dieser Psychologe hat mir klar gemacht wo die Reise hin geht. Nach dem ersten Probegespräch, wusste ich was ich zu tun hatte.

Es kann sein das sich einige Inhalte in dieser Geschichte, nach dem ersten Gespräch mit dem Verkehrspsychologen, wiederholen. Das ist mir aber egal, denn die Message ist wichtig. Wenn nicht begriffen wird, dass Alkohol ein Sauzeug ist, an dem mehr Menschen sterben, als an allen anderen Drogen zusammen, ist das ein Problem. Wenn ohne Führerschein Auto gefahren wird, ist das ein Problem. Das Problem ist nicht der Alkohol an sich. Auch das Auto ist nicht das Problem. Die Schwäche des Menschen ist das Problem.

Ich hoffe das ich glaubhaft darstellen konnte, dass ich mich ändern wollte. Ich wollte bestehen, wie ich schon geschrieben habe.

Weiter im Gespräch. Nicht vergessen, ich sitze immer noch in dem Büro des Psychologen der MPU-Gesellschaft und da gehen wir nach diesem Intermezzo jetzt auch wieder hin. Wie ich meine Auffälligkeiten bewerten und die Ursachen beschreiben würde, fragt mich Herr Lieblich.

In Wahrheit dachte ich, ich müsste viel härter bestraft werden. Die Bewährungsstrafe war der Weckruf, es musste ja etwas passieren. Mit der Bewährungsstrafe habe ich eine richtige Schelle bekommen und Angst. Angst gehört ja nicht unbedingt zu den Emotionen die ich häufiger auf den Plan rufe. Jetzt ging mir so richtig der Stift. Existenzangst machte sich breit.

Ich dachte, ich bin ein guter Vater, aber wie konnte ich glauben, ein guter Vater zu sein, wenn ich jahrelang ohne Führerschein fuhr und andere schädigte. So habe ich damals nicht gedacht. Früher sah ich nur mich selbst, jetzt betrachte ich mich mehr von außen. Dass ich mich so verhalten hatte, war schlimm, sehr schlimm.

Es gab während meiner letzten Sperre und nach meiner Läuterung eine Situation, die für mich sehr kurze Zeit sehr schwierig war. Meine Tochter, damals sieben Jahre alt, reagierte sehr stark allergisch, auf einen Bienenstich reagiert. Es war niemand in der Nähe der mir helfen konnte. Die Hand meiner Tochter war schon auf die Größe eines Tennisballs angeschwollen. Ich hatte tatsächlich überlegt selbst in ein Krankenhaus zu fahren.

NEIN, ich tat es nicht, ich hätte mich selbst verraten, meine neu erlernten Prinzipien über Bord geworfen. Ich blieb ruhig, meine Tochter auch. Wir fuhren im Taxi ins Krankenhaus. Die Kids finden Taxifahren eh cool, und ich musste mir keine Fragen anhören, warum Papa denn nicht selbst fahren würde.
Ich war froh diese Prüfung bestanden zu haben und sehr stolz.

Ich war früher ein sehr egoistischer Mensch, der gerne bereit war Regeln zu brechen. Ich habe schon seit meiner Kindheit gelernt, mein eigenes Ding zu machen, ohne große Konsequenzen zu fürchten. Ich dachte bestimmt, ich wäre etwas Besseres und stünde über den Dingen. Früher haben mir die Menschen gesagt, dass ich arrogant sei.

Heute weiß ich, dass ich immer mehr sein wollte, als ich bin. Ich war unsicher und wollte eine Aura um mich aufbauen, hinter der meine eigentliche Schwäche stand.

Heute ist das vorbei. Früher war es für mich nicht möglich Schwäche zu zeigen, das wäre ein Unding, eine nicht vorhandene Möglichkeit. Heute kann ich das ohne Probleme. Wenn ich schwach bin, lasse ich mich trösten. Unsere Erziehung und die Gesellschaft prägen gerade die Jungen in der Vorstellung, das Schwäche schlecht sei.

Wie hat Vera Birkenbichl das mal so schön formuliert?

Bei der Geburt hat jeder Mensch ein unbegrenztes Potential. Dann kommt die Erziehung. Mit der Erziehung, wird aus dem unbegrenzten Potential ein in Form gebrachtes Stück Gesellschaft.

Schwäche ist nichts weiter als ein Gefühl, so wie Lachen, Freude, Angst, Weinen. Es ist ein Genuss seinen Gefühlen freien Lauf zu lassen. Weinen sie mal zehn Minuten, danach fühlen sie sich besser, leichter, hoffnungsvoller.

Früher dachte ich, dass Schwäche zeigen, negative Konsequenzen hat, wie wenn man auf dem Schulhof weint und gehänselt wird. Aber so ist es nicht. Im Gegenteil, man wird bewundert oder verwundert angesehen wenn man seine Gefühle zeigt, aber negative Konsequenzen? Nein, was für ein Irrglaube.

Meine Einstellung zu Regeln und Gesetzen hat sich radikal geändert. Das Leben ist viel leichter, wenn man sich an sie hält.

Regeln und Gesetze sind dazu da einen Selbst zu schützen, Kinder Familie, Freunde, einfach alle. Wenn man sich nicht an die Regeln hält, dann sind alle diese Menschen gefährdet. Deswegen gibt es Regeln und Gesetze. Die Straßenverkehrsordnung sorgt dafür, dass meine Kinder und meine Familie geschützt werden. Damit kein volltrunkener Idiot, wie ich selber einer war, sie aus meinem Leben reißen kann. Aber nicht nur meine Familie, alle Familien.
Denn am Ende des Tages ist auch unsere Gesellschaft eine große Familie, die geschützt werden muss. Nur so funktioniert Zivilisation. Auf jeden Fall diese, in der wir gerade leben.

Als Beifahrer ist mir klar geworden wie ausgeliefert man ist, wenn ein großer SUV auf der Autobahn an der eigenen Stoßstange klebt und großzügigerweise zwischendurch die Lichthupe betätigt, um unmißverständlich klar zu machen, dass man sich verpissen soll. Als Beifahrer kann man nichts tun. Außer: Darauf zu achten, wie die anderen Autofahrer so drauf sind, wie sie sich fühlen.

Wie man das erkennen kann?

Einfach hinsehen, beobachten, Reaktionen ansehen. Körperspannung, Kopfhaltung und so weiter, da könnte man eine Wissenschaft draus machen.
Wenn ich zu spät komme, komme ich zu spät. Ich werde nicht mehr die Höchstgeschwindigkeit überschreiten wenn sie eingeschränkt ist.

Als Bahnfahrer gibt es in Sachen Pünktlichkeit keine Motivationen. Ich habe gelernt unpünktlich zu sein. Das liegt in der Natur der Sache. Bahnfahren und Pünktlichkeit ist genau so wie Feuer und Wasser, passt einfach nicht. Gut ist, wenn man beim Bahn fahren diese Lektion lernt, dann wird das Leben ungemein entspannter, eine innere Ruhe umgibt einen. Man wartet, der Zug kommt, egal wann, steigt ein und fährt mit. Zeit spielt keine Rolle. Bringt einfach genug davon mit!

Geduld lernen heisst, im Hier und Jetzt zu sein. Den Augenblick zu spüren und genießen. Auf dem Bahnsteig Gespräche führen. Kurz telefonieren, dass man später kommt und das Universum ist wieder im Einklang, bis zum nächsten Moment.

Was soll schon passieren, wenn man zu spät kommt? Nichts. In den nordafrikanischen Ländern funktioniert das auch, die Menschen leben besser, haben weniger Herzinfarkte und sind glücklicher als hier in Mitteleuropa.

Trinkverhalten:

Ich trinke jetzt nur noch sehr wenig Alkohol. Zuletzt hatte ich Silvester 2014 getrunken. Zu dem Anlass hatte ich 2 Flaschen Bier a 0,33 l und 1,5 Pinnchen Cognac a 0,2 cl getrunken. Diese Menge hatte ich zwischen 18 Uhr abends und 1 Uhr nachts konsumiert. Meine letzte größere Menge Alkohol nahm ich im Oktober 2014 zu mir. Ich war mit meiner Frau essen. Zu diesem Anlass, gönnte ich mir 2 Gläser Rotwein und einen Fernet Branca.

Das Essen war hervorragend. Das war die größte Menge Alkohol, die ich in 2014 zu mir genommen hatte. Zur Zeit konsumiere ich vielleicht zwei mal im Monat Alkohol, in den Mengen zwischen ein bis zwei Gläsern Rotwein. Ich habe den Alkoholkonsum seit der Geburt meiner Kinder kontinuierlich reduziert. Ich konnte mit dem Rausch nicht mehr umgehen und fühlte mich immer schlechter. Alkohol war eine Droge, die ich körperlich immer weniger kompensieren konnte. Es gab dann zwischendurch immer noch mal einen Anlass, wo ich auch mehr getrunken hatte, aber das aktuelle Trinkverhalten besteht jetzt schon seit etwa zwei Jahren. Wenn mich jemand auffordert noch einen Mitzutrinken, obwohl ich das Gefühl habe, das es mir reicht, kann ich getrost sagen, dass mich so eine Aufforderung nicht mehr erreicht.

Mittlerweile gehe ich nur noch selten aus. Das liegt bestimmt daran, dass ich abends sehr müde bin und auch meine Familie fordert ihren Tribut.

Meine Familie bekommt meine volle Aufmerksamkeit. Das ist der Hauptbestandteil meines Lebens.

In den zehn Jahren, vor der Trunkenheitsfahrt 2003, hatte ich sehr viel Alkohol getrunken. Ich hatte hauptsächlich an den Wochenenden getrunken, freitags und samstags. Es war auch schon mal vorgekommen, das ich Donnerstags getrunken hatte.

Der Konsum war hoch, Bier, Schnaps, Wein und Cocktails. Das ging so lange, bis ich meinen Führerschein verlor.

Die Wochenenden waren dazu da, um meine Wochen zu beenden. Und zwar mit aller Gewalt. Nach der Trunkenheitsfahrt, hatte das langsam nachgelassen. Nur an Anlässen wie Karneval oder Silvester habe ich dann noch „zugeschlagen".

Filmrisse hatte ich auch ein paar Mal. Es ist kein schönes Gefühl, nicht zu wissen, wie man nach Hause gekommen war. Entzugserscheinungen hatte ich zum Glück nie. Mein Körper hatte einiges auszuhalten. In meinem Umfeld hatte sich nie jemand darüber mokiert, dass ich so viel trinken würde. Im Gegenteil, die meisten Menschen hatten ja mit mir getrunken. Ich war also ein Gleicher unter Gleichen. Ich bin allerdings mit Restalkohol schon zur Arbeit erschienen. Das war nicht besonders prickelnd. Mit einer Fahne zur Arbeit zu kommen, obwohl man eine Vorbildfunktion hat. Nicht gut!

Ich arbeitete sehr viel, im Familienunternehmen. 50-60 Stunden in der Woche. Mit meinem Vater und meinen Geschwistern zusammen. Mit meinem größeren Bruder, der vier Jahre älter als ich ist, verbrachte ich Donnerstags meine Abende in der „Kiste". Die „Kiste" war damals eine Kneipe für junge und alte Menschen. Hier traf sich alles, was sich in Haan so rumtrieb. Schon mit Sechszehn durfte man bis zehn

Uhr da rumlungern. Der Besitzer hieß Rosie. Als ich zum ersten Mal mit meinem Bruder dort einkehrte, war ich genau Sechszehn.

In der Zeit, als ich dann mit meinem Bruder nach der Arbeit noch einen Absacker trinken ging, konnte es auch schon mal vorkommen, dass wir erst um zwei Uhr morgens nach Hause kamen. Dann waren wir sehr alkoholisiert.

Mit Restalkohol fuhren wir dann am nächsten Morgen fünfzig Kilometer zur Arbeit. Im Büro gab es dann erst mal ein Katerfrühstück. Meinem Vater war das, mehr oder weniger, egal. Es war ihm eher wichtig, dass wir unsere Arbeit schafften. Das taten wir, wir arbeiteten, verdienten viel Geld und brachten am Wochenende die Kohle zum Autohändler oder in die Kneipe.

Ich habe gesoffen um Arbeiten zu können und gearbeitet um zu Saufen.

Mein Bruder und ich verbrachten früher viel Zeit miteinander. Wir sind fuhren unter anderem zum Ski nach Sölden gefahren. Eines Abends saßen wir, nach dem Abendessen, mit einem bekannten Rallye-Fahrer an der Theke. Es gab Obstler. Der erste schmeckte grenzwertig, der zweite schon besser, der dritte gut. Meinem Bruder schmeckte der dritte Obstler so gut, das er sich dazu entschied, den scharf brennenden Alkohol direkt durch die Nase wieder aus zu rotzen. Er hatte sich dummer weise verschluckt.

Ich habe selten gesehen, dass man so schnell seine Nase schleimfrei bekommen kann. Mein Bruder musste sofort auf das Zimmer und hing seine Nase über die Toilette. Der Schleim lief und lief und lief. Für meinen Bruder war der Abend gelaufen, ich ging dann noch mit dem Rallye-Fahrer auf Tour. Es war ein netter Abend. Am nächsten Morgen konnte mein Bruder am Berg wieder so richtig tief durchatmen. Er war sauer auf mich, das ich ihn mit seinem Problem alleine gelassen hatte.

Ich hätte mich dazu entscheiden können, meinem Bruder Beistand zu leisten. Ich hatte mich aber dagegen entschieden. Warum? Ich wollte etwas erleben und hatte meine Belange für wichtiger befunden. Es wäre besser gewesen meine Bedürfnisse hinten anzustellen und mich erst mal um meinen Bruder zu kümmern. Wir waren ja schließlich gemeinsam im Urlaub. Ich hätte für Ihn da sein müssen und nicht nur an mich selbst denken sollen.

So ist es auch im Straßenverkehr. Rücksichtsvoll auf die Verkehrsteilnehmer schauen, gibt einem ein gutes Gefühl.

Nachdem ich Herrn Lieblich mein Herz ausgeschüttet habe und ein paar Tränen vergoss, ist es eine Zeit lang still im Raum und ich denke, ich habe zu viel erzählt.
Stattdessen sieht mich Herr Lieblich an und sagt, das er selten eine so ehrliche und selbstreflektierte Person vor sich hier im Büro sitzen sah. Ich weiß nicht, was das zu bedeuten hat und warte gespannt darauf wie es weiter geht.

Herr Lieblich sagt mir, dass ich bitte noch mal vorne im Wartezimmer Platz nehmen solle. Er würde jetzt noch mal lesen, was er in den Computer getippt hat und mir zur Unterschrift vorlegen.
Ich stehe etwas betäubt auf und verlasse den Raum. Auf dem Weg zum Wartezimmer kommt mir niemand entgegen und auch dort, wo ich mich wieder zu meinen Gesellen setzten will, ist niemand mehr. Es macht den Anschein das über-

haupt keiner mehr da ist. Ich werfe einen Blick auf die Uhr und will meinen Augen nicht trauen. Es sind zwei Stunden vergangen. Meine MPU-Mitstreiter haben wahrscheinlich schon die Flucht ergriffen oder bekommen was sie verdienen. Ich sitze also alleine im Wartezimmer und überlasse mich meinen Gedanken. Rekapituliere noch einmal, ob ich mich irgendwo so richtig in die Nesseln gesetzt habe. Ich kann nichts finden. Ich wollte ehrlich sein und war es auch.

Ich kann jetzt nur noch darauf warten, dass Herr Lieblich mit dem Ausgedruckten Protokoll zu mir kommt, ich es noch mal lesen und dann unterschreiben kann.

Nach ein paar Minuten, steht Herr Lieblich, plötzlich vor mir. Mir ist etwas schummrig zumute. Mit zittriger Hand nehme ich die ausgedruckten Seiten entgegen. Herr Lieblich sagt, dass ich mir Zeit lassen und alles auf seine Richtigkeit überprüfen soll. Er hat ein sehr gutes Gefühl das ich die MPU erfolgreich absolvieren werde, wenn nicht noch etwas überraschendes, bei der Blutuntersuchung herauskommt. Ach ja, da war ja noch was.
Den Teil mit dem „erfolgreich absolvieren" habe ich nicht wirklich registriert, oder mein Gehirn hat so schnelle Reflexe, dass es den Inhalt der Information, erfolgreich abwehren kann.
Ehrlich gesagt ist mir überhaupt nicht nach Lesen und ich habe Muffe, den geistigen Dünnschiss, den ich vorhin in dem Gespräch von mir gegeben habe noch einmal zu lesen. Mit dem Spruch, ob ich denn die Rechtschreibfehler direkt anstreichen soll, geht Herr Lieblich lächelnd wieder in sein Büro. Ich lese also was ich von mir gegeben habe und kann keine inhaltlichen Fehler entdecken.

Nach etwa 20 Minuten bin ich fertig und gebe das Protokoll unterschrieben im Sekretariat ab. Mir wird mitgeteilt, das dass Gutachten innerhalb von 14 Tagen zum Strassenverkehrsamt gesendet wird und ich das Original nach Hause geschickt bekomme.

Ich bin enttäuscht, ich dachte ich könnte das Gutachten direkt mitnehmen. Aber wie sollte das gehen? Die Blutwerte standen ja noch aus. Wieder zu viel gewollt!

Ich werde sehr liebevoll verabschiedet, so, als wenn ich morgen wieder hierher, zur Arbeit komme. Ich will nicht unhöflich sein, konnte aber, meine Freude darüber, das ich endlich aus diesem Etablissement verschwinden kann, nicht wirklich verbergen.

Als ich das Treppenhaus hinunter gehe, hallen die Sätze von Herrn Lieblich plötzlich noch mal nach. MPU erfolgreich absolviert!

Der Brief vom Strassen-
verkehrsamt

Ich kann es kaum glauben, ich freue mich wie ein kleines Kind und schreibe meiner Frau erst mal eine SMS. Der Inhalt ich nicht wirklich wichtig. Die Message aber schon. Ich gestehe ihr meine „Ewige Liebe" und das es super gelaufen ist.

Ich sehe mich schon beim Strassenverkehrsamt meinen Führerschein abholen. Jetzt ist die größte Hürde genommen. In 14 Tagen darf ich wieder ein Kraftfahrzeug führen, denke ich.

Wie hat Horst Schlämmer so schön formuliert: „Isch mach jetzt Führrschein."

Nach ziemlich genau 14 Tagen bekomme ich einen Brief von meiner persönlichen Straßenverkehrsamtsmitarbeiterin. In diesem Brief stehen viele Informationen, die meisten kann ich hier, getrost weg lassen. Einen Absatz möchte ich Euch dann doch nicht vorenthalten:
„Sie haben seit 11 Jahren nicht mehr aktiv am Straßenverkehr teilgenommen. In der Gesamtschau ist daher davon auszugehen, dass die erforderlichen theoretischen Kenntnisse und praktischen Fähigkeiten nicht mehr vorliegen, sodass ich gemäß §20 Abs. 2 FeV, das Ablegen einer erneuten theoretischen und praktischen Prüfung für die Klassen A, B, und BE anordne."

Waaassss?

Ich bin am Boden zerstört, ich rufe die Bestie im Straßenverkehrsamt an und frage, warum sie mir das nicht schon vorher angekündigt hat, so dass ich parallel schon mal mit dem Führerschein beginnen kann. Daraufhin teilt sie mir süffisant mit, dass sie ehrlich gesagt nicht davon ausgegangen ist, dass ich die MPU bestehe und somit auch keine Veranlassung sah, mir mitzuteilen, dass bei erfolgreichem Absolvieren der MPU noch die Führerscheinprüfungen fällig sind.

Scheiiiisssseeeeee! Ich dachte ich kann den Führerschein direkt bekommen, der Brief und das Telefonat sind ein herber Rückschlag. Ich muss mich zuerst von dem Schock erholen und mir klar machen, dass ich vielleicht zu viel, zu schnell gewollt habe. Ich hätte davon ausgehen müssen, dass ich nach so vielen Jahren noch mal eine Prüfung ablegen muß. Ich konnte mich dann auch leise erinnern, das mir mein Verkehrspsychologe so etwas geflüstert hatte.

Das ist zwar schon ein Jahr her, aber an Bedeutung hat die Info nicht verloren. Im Gegenteil sie wird zur harten Realität.

Am Abend erzähle ich meiner Frau, dass die Odyssee noch nicht vorbei ist und ich eine Fahrschule suchen muss. Laut Strassenverkehrsfrau, habe ich dafür, drei Wochen Zeit.

Die Fahrschule

Die ortsansässige Fahrschule ist meine erste Wahl. Ich rufe den Inhaber an, erkläre ihm meine Situation und ernte erst Mal ein langes Schweigen am anderen Ende der Leitung. Nach der gedanklichen Pause sagt mir der Fahrschulleiter, was ich alles zu tun habe. Theorie pauken und Theorie pauken und Theorie pauken. Ob ich denn noch Auto fahren kann, fragt er mich. Ob ich mich denn nicht verständlich ausgedrückt habe, frage ich patzig zurück.

Ich bin über zehn Jahre ohne Führerschein gefahren. Da verliert man die praktischen Fähigkeiten nicht so schnell. Das sind quasi zehn Jahre, illegale, praktische Vorbereitung auf die anstehende Fahrprüfung.

Nach dem Telefonat googele ich Apps für den theoretischen Teil. Dazu muss ich sagen, das es viele davon gibt. Sehr viele. Ich entscheide mich für eine, die viele positive Erfahrungsberichte vorweist mit vielen Bildchen. Die App ist so aufgebaut, wie die theoretischen Prüfungen heute stattfinden. Am Computer. Allerdings ist meine Entscheidung Zufall, ich habe nämlich keine Ahnung davon, wie die theoretischen Prüfungen heute abgehen. Ich denke in meiner Naivität tatsächlich, es gibt noch den guten alten Fragebogen.

Ich lade die App auf mein Ipad und fange an wie ein Besessener zu lernen. Lernen muss man auch erst wieder lernen. Da ich aber schon einen weiten Weg gegangen bin, habe ich mich schnell daran gewöhnt, wie ein Schüler die Schulbank zu drücken.

Ich will die Prüfungen so schnell wie möglich hinter mich bringen. Also höre ich auf zu essen und hänge am Ipad. Ich höre auf zu schlafen und hänge am Ipad, ich höre auf zu sprechen und hänge am Ipad. Nach acht Tagen habe ich die aktuellen Verkehrsregeln auf der Pfanne, für Auto und Motorrad, denn ich will ja alle meine Führerscheine wieder machen. Von dem LKW Führerschein bis 40 Tonnen, den ich bei der Bundeswehr gemacht habe, habe ich mich gedanklich und mental verabschiedet.

Dafür fragen meine Kinder meine Frau, wer denn wohl der Mann da am Frühstückstisch sei, der dauernd auf das Ipad glotzt.

Ich muss dazu sagen, dass ich am Anfang regelmässig bei den Prüfungen die man in dieser App machen kann, versagt habe. Ich weiß quasi nur noch wenige Prozentanteile von dem, was ich 1985 gelernt habe. Ich kann nur jedem empfehlen, der über fünf Jahre keine Prüfung mehr gemacht hat, sich so eine App zu besorgen, um seinen Wissensstand auf das aktuelle Niveau zu bringen.

Ich rufe in der Fahrschule an und sage, dass ich die theoretische Prüfung machen will. Der Fahrlehrer sagt, ja gerne, aber erst müssen sie eine Theoriebogen bei uns in der Fahrschule machen, damit wir wissen was sie wissen. Der macht Scherze denke ich, mein Wissen passt nicht auf einen Theoriebogen. Wir verbleiben so, dass ich zwei Tage später in die Fahrschule komme, um meine theoretischen Fähigkeiten unter Beweis zu stellen.

Ich kann es kaum erwarten diesen Bogen auszufüllen. Als ich in der sehr trostlos, eingerichteten Fahrschule eintreffe, empfängt mich ein junger Mann, der nicht den Eindruck macht, dass er das 18. Lebensjahr vollendet hat und fülle trotz dem meine Anmeldung aus. Ich bezahle 60 Euro dafür und bekomme eine hässliche Quittung. Dann händigt mir der Junge den Theoriebogen aus. Ich setze mich an einen Tisch, der in den 50er Jahren, mit großer Sicherheit, für Verhörzwecke von diversen Geheimdiensten, benutzt worden war und fange an den Bogen auszufüllen.

Nach fünf Minuten bin ich fertig. Ich gebe den Bogen zur Kontrolle, stehe wie Fritz Piepe vor dem Jungen und warte geduldig darauf, dass er mir das Ergebnis mitteilt. Null Fehler. Meine Brust schwillt an. Ich bin stolz wie Oskar und sage, dass ich schnellsten die theoretische Prüfung machen möchte. Der Junge versichert mir, sich darum zu kümmern, und ich über einen zeitnahen Termin informiert werde.
Zwei Tage später, es ist Februar und herrlichster Sonnenschein, bekomme ich den Anruf für die Prüfung. Parallel möchte der Fahrlehrer, der auch der Inhaber ist, meine praktischen Fähigkeiten am Lenkrad eines in die Jahre gekommenen KIA Carens testen.
Ich werde zu Hause abgeholt, so wie der kleine „Floppi", der von seinem Papa aus der Schule abgeholt wird, begrüsse den Fahrlehrer, der in etwa die Statur von Frankensteins Monster hat, nur ohne die verdächtigen Narben und Schrauben an Hals und Kopf, und setze mich ans Steuer, des von Innen doch eher verkommenen, KIAs.
Es ist ein besonderes Gefühl, wenn man nach zehn Jahren ohne Führerschein und eineinhalb Jahre ohne ein Auto zu fahren, sich das erste Mal wieder ganz offiziell, hinter das

Steuer eines Autos setzen darf um es eigenhändig, rechtmäßig zu betätigen.

Ich bin tatsächlich nervös. Ich bin ungefähr genauso aufgeregt wie das Auto dreckig und vermüllt ist. Der Zustand erinnert mich an ein früheres Auto von meiner Frau, auch ein KIA, welcher ebenfalls als fahrende Mülltonne missbraucht wurde.

Kann es sein, das KIAs genau dafür hergestellt werden, um den Müll, den die Müllabfuhr nicht abbekam, herum zu kutschieren? Entwickelt sich hier vielleicht eine Mülltransport-Parallelgesellschaft?

Ich schweife ab, ich bin aufgeregt und freue mich gleichzeitig tierisch, das ich wieder Auto fahren darf, wenn auch nur in einem Fahrzeug mit Mülltransportlizenz.

Der Fahrlehrer sagt mir, ganz der Profi, Sitz einstellen, Spiegel einstellen, anschnallen, oder anschnallen zu erst, weiss ich nicht mehr genau. Da die Reihenfolge keine wirkliche Rolle spielt, lass ich das jetzt mal so stehen.

Ich handle, wie mir befohlen und starte den Motor. Als Profi hätte ich vielleicht erst mal die Kupplung treten sollen, um festzustellen, wie schwergängig sie ist. Habe ich aber nicht und ich habe auch nicht danach gefragt, wie stark die Motorisierung des KIA ist.

Die Kombination von zu schnell die Kupplung kommen lassen, mit zu viel Gas geben, ich bin überzeugt, die Karre muss man über die Strasse schieben, macht unvorsichtig und das Auto einen richtig großen Satz nach vorne. Die Reifen drehen durch, ich werde von dem Diesel Schub mit 170 PS erst richtig tief in den Sitz gepresst, um dann schlagartig mit dem Kopf nach vorne zu schnellen. Um ein Haar küsse ich das Lenkrad. Mein Fahrlehrer hat mit diesem Start auch nicht gerechnet und sein Kopf schlackert hin und her wie ein kopflastiger Gummidildo.

Ich trete parallel mit dem Fahrlehrer auf die Bremse und sage ganz nonchalant: „Ich mache das immer so, erst mal rausfinden was die Mühle so drauf hat" und grinse relativ doof dabei.

Ich möchte dem Fahrlehrer die Schuld in die Schuhe schieben, weil er mir nicht gesagt hat, das der KIA ordentlich was unter der Haube hat. Aber das ist nicht in Ordnung, denn ich habe ja die Pflicht, mich darüber zu informieren, was ich denn da für ein schnurrendes Kätzchen fahren werde. Ich bin der Fahrer und so muss ich mich auch verhalten. Verantwortungsbewusst!

In Wahrheit kommen einige Faktoren zusammen, die dafür sorgen das ich den Start so richtig versaue. Ich bin aufgeregt. Ich will dem Fahrlehrer und mir beweisen das ich noch Auto fahren kann. Dazu kommt, dass ich in meiner ersten Fahrstunde, zu meiner theoretischen Prüfung fahren soll. Alles in allem, kein guter Start, aber nichts, was nicht reparabel ist.

Ich entschuldige mich für den Kavalierstart und beteuere, dass ich mich etwas überschätzt habe.
Der Fahrlehrer der jetzt etwas mehr aussieht wie das Monster, nickt mit dem Kopf, um mir anzudeuten, dass ich die Fresse halten soll und jetzt ordentlich am Straßenverkehr teilgenommen wird.
Blinker setzten, Schulterblick, langsam Gas und Kupplung vorsichtig kommen lassen. Ich befolge die Befehle und siehe

da, dass Auto rollt los. Ich füge mich in den Strassenverkehr ein. Zum Glück ist die Strasse nicht stark befahren und ich kann mich hinter dem Steuer akklimatisieren.

Aus den Augenwinkeln sehe ich, dass die Schrauben und die Narben, von meines Fahrlehrers, seltsamerweise verschwunden sind.

Ich mache also das Radio an, drehe das Fenster runter und zündete mir eine Kippe an. Ich lasse mir den Fahrtwind durch die Haare wehen und frage den Fahrlehrer, ob er auch mal ziehen will.

Kleiner Scherz.

Ich fahre sehr konzentriert und der Fahrlehrer beobachtet mich aus dem Augenwinkel, ob ich denn regelmässig den Schulterblick oder Blinken bei mehr als einem Meter Hindernis auf meiner Fahrbahn beachte. Ich gebe mein Bestes. Es läuft immer besser, meine Sicherheit kommt zurück. Ich freue mich schon auf meinen ersten Powerslide, wenn ich auf dem Parkplatz des TÜV Rheinland den KIA abstelle.

Die Führerscheinprüfung
Teil 1

Nachdem ich ganz traditionell und sittsam auf dem Parkplatz des TÜV Rheinland das Auto, auf dem dafür kenntlich gemachten Platz, zum Stehen bringe, gehe ich mit dem Fahrlehrer Richtung TÜV Gebäude. Das Bauwerk hat die Anmutung von einer Sonderschule aus den 50er Jahren. Ich glaube, einige Schüler stehen immer noch vor dem Eingang und warten darauf, dass ihnen jemand sagt, dass sie jetzt schon zum vierten mal die 8. Klasse wiederholt haben und nun volljährig seien und sich endlich zur Bushaltestelle gehen sollen.

Der Fahrlehrer und ich gehen an den Jungs vorbei in die pittoreske Eingangshalle, die dem Charme einer Müllverbrennungsanlage klar unterlegen ist.

Verdammt, wir haben den Müll im Kia gelassen.

Ich soll hier warten, während der Fahrlehrer mich bei den Prüfern anmeldet. Er verschwindet in einem Raum, aus dem immer wieder andere, junge Menschen kommen. Es geht zu wie im Taubenschlag. Mir kommt der Verdacht, dass in diesem Raum die theoretische Prüfung absolviert werden soll.
Nach einigen Minuten kommt der Fahrlehrer wieder zurück und sagt mir, das ich jetzt hineingehen soll. Ich verabschiede mich mit einer innigen Umarmung von meinem neuen Freund und betrete den Raum, der vollgestellt ist mit Bildschirmen und Computern. Es herrscht eine Temperatur von gefühlt drei Grad Kelvin, obwohl es draußen nicht unter null

ist. In der rechten hinteren Ecke sitzt der Prüfer und raucht gemütlich eine Zigarette. Fehlt jetzt nur noch eine Flasche Bier. Immer mit gutem Beispiel voran!

Jedes Mal, wenn jemand seine Prüfung nicht bestanden hat, gibt er einen Kommentar ab. Die Computer sind mit Nummern gekennzeichnet. „Nummer zehn nicht bestanden!" oder „Gut gelernt Nummer 4!", hallt es durch den Raum.

Merkwürdigerweise scheint das niemanden der schätzungsweise, zehn Personen, die hier parallel zum Taubenschlag und der Kommentare des Prüfers, ihre Prüfung ablegen, zu interessieren.

Von Datenschutz haben die hier noch nichts gehört.

Da ich mich nicht als Erstes, beschweren will, dass bitte mein Ergebnis nicht, vor allen Prüflingen heraus posaunt wird, begrüsst mich der Prüfer an seinem Tisch mit einem lauten: „Ah der MPU-Besteher, nach zehn Jahre ohne Führerscheinfahrens".
Dabei kontrollierte er meinen Personalausweis den ich ihm hin halte und kontere mit einem: „Ich würde mich freuen wenn er mein Prüfungsergebnis bitte in roten Lettern an die Wand hinter sich schmieren würde, damit alle sehen können, dass man mit 47 und total versoffenem Gehirn auch noch eine Theorie-Prüfung bestehen kann."
Der Prüfer reagiert mit einem Schulterzucken, nimmt die Anmeldegebühr von 60 Euro entgegen.

Wieso kostet erst mal alles 60 Euro? Mir wird wieder eine hässliche Quittung überreicht. Der Prüfer deutet mir an, dass ich an der 4 Platz nehmen soll. Moment mal, die 4, da hat doch gerade einer bestanden. Das ist ein gutes Omen. Ich setze mich schnell auf den Platz, damit ihn mir keiner wegschnappen kann. Inhaltlich bin ich gut vorbereitet, nicht aber auf den unglaublichen Krach in dem Raum, oder die Kälte, die einem in die Knochen kriecht, auch nicht auf den kalten Rauch der Zigaretten, die der Prüfer pafft.

Ich habe tausende Male die Fragen auf meinem Ipad beantwortet und weiß, dass ich bestehe. Trotzdem geht mir der Stift. Ich bin überrascht, dass hier an Computern die Prüfung absolviert wird, ich hätte mich auch informieren können, aber ich bin ja Ipad geprüft und mir können die Umstände nicht wirklich etwas anhaben.

Ich lese die Bedienungsanleitung auf dem Bildschirm, der mit einem Sichtschutz zum Nachbarn ausgestattet ist. Dadurch kann man sich etwas besser konzentrieren, was ich auch dringend nötig habe.

Ich habe mal gelesen, das der Vater von Tiger Woods, als Tiger noch ein kleiner Junge von 4 Jahren war, immer laut geschrien hat, wenn Tiger einen Schlag ausführen wollte. Auf Dauer hat das dazu geführt, das Tiger sich auch auf einem Jahrmarkt, so auf einen Schlag fokussieren konnte, das ein Hole in One möglich gewesen wäre.
Ich bin zwar nicht so von meinem Vater ausgebildet worden, um mich auf irgendwas zu konzentrieren, aber ich habe in der Vergangenheit immer mehr gelernt mich zu fokussieren und den Fokus auch zu halten.

Ausserdem will ich nicht hier als Einziger rum heulen. Ich folge den Anweisungen auf dem Bildschirm und komme zu dem Menüfenster, an dem ich Start klicken muss um die

Prüfung zu beginnen. Ich gehe über die Zurücktaste noch mal von Vorne durch, was auf dem Bildschirm gestanden hat, um keine Flüchtigkeitsfehler zu machen und komme wieder zu dem Start Button.

Ich klicke darauf und beginne die Fragen zu beantworten. Das Gute ist, dass ich die Fragen, die man zu beantworten hat, noch mal aufrufen und korrigieren kann, bevor man die Prüfung abschließt und auf den „Fertig Button" klicke.

Ich komme gut durch die Fragen, bis auf eine, die ich auf meinem Ipad nicht immer richtig beantworten konnte, sie ging mir einfach nicht in den Schädel. Nachdem ich immer wieder zu dieser Frage komme und alle anderen schon beantwortet habe, korrigiere ich sie ein letztes Mal, nachdem ich sie schon ein paar Mal anders korrigiert habe.

Ich denke mir, wenn ich eine Frage falsch habe, dann komme ich damit klar, aber im innersten meines Ich will ich die Null Fehler auf der Wand hinter dem Prüfer geschmiert sehen.

Ich drücke auf „Prüfung fertig". Nach ungefähr zehn Sekunden kommt vom Prüfer ein: „Gut gelernt Nummer 4!" und ich weiß, dass ich bestanden habe. Ich kann mich nicht richtig freuen, denn es gibt im Anschluss direkt ein: „Das machen wir dann noch mal Nummer 2". Nummer 2, ist ein kleines Mädchen, das noch sehr schutzbefohlen aussieht. Ich möchte ihr über den Kopf streicheln und sie zu trösten.

Ich tue es nicht und gehe zum Tisch des Prüfers. Der überreicht mir meinen bestanden Wisch.

Ich nicke ihm zu und gehe zurück in die Empfangs halle, wo mein Fahrlehrer auf mich wartet. Ich informiere ihn, das ich bestanden habe. Er sagt: „Gut!", dreht sich um, lässt mich stehen und geht zum Auto. Während ich ihm hinterher sehe, läuft mir eine Träne über die linke Wange, weil er mir nicht gratuliert hat. Vielleicht ist der Fahrlehrer pädagogisch nicht sooo gut ausgebildet. Positive Verstärkung ist ein Begriff in der Psychologie, den es tatsächlich gibt.

Egal, ich bin ein harter Hund und wische mir meine Freudenträne von der Wange.

Als ich wieder auf dem Fahrersitz sitze, telefoniert der Fahrlehrer. Dies tut er eigentlich die ganze Zeit, er muss ja auch noch andere Termine vereinbaren, mit anderen Fahrschülern. Ich fahre zurück zu meinem Haus, so war es vorher besprochen worden. Der Fahrlehrer erklärt, dass er mich jetzt für die praktische Prüfung anmeldet. „Das wird etwa eine Woche dauern. Ich werde das schon schaffen, so scheisse würde ich ja nicht fahren und lacht."

Ich steige aus mit dem Gefühl, das der Lehrer, vielleicht doch ein Mensch ist und freue mich, meiner Frau am Abend erzählen zu können, dass ich die Theorie bestanden habe.

Die Führerscheinprüfung
Teil 2

Meinem Ziel bin ich einen großen Schritt näher gekommen. Ich bin stolz darauf, dass ich so fleissig war und bin. Mühsam ernährt sich das Eichhörnchen. Jetzt habe ich mir ein Stück Schokolade verdient. Acht Tage später geht es dann endlich los. Die praktische Auto-Fahrprüfung.

Da ich in einem kleinen Dorf wohne, ist man immer irgendwie auf dem Präsentierteller. Aber als der Fahrlehrer mir mitteilt, dass der Treffpunkt zur Prüfung auf dem Parkplatz eines hoch frequentierten Supermarktes ist, finde ich das so mittelmäßig bis superscheisse.

Egal, ich schüttele meine Peinlichkeitsempfindungen ab und tue so als wäre es ganz selbstverständlich, als ich in das Fahrschulfahrzeug steige.

In diesem Augenblick kommt ein Kopf hinter einem rotgestrichenen Schiebetor hervor und winkt mir zu. Es ist der Supermarktleiter, der mir die Daumen drückt. Mir fällt irgendetwas aus dem Gesicht. Es kann der Verlust über die Kontrolle meiner Gesichtsmuskeln sein. Meine Schließmuskeln sind noch in Takt, das hätte ich gemerkt.
Wissen alle Mitbürger, dass ich meinen Lappen neu mache, oder werde ich beobachtet? Mir kann es egal sein. Ich hebe meine Hand zum Gruß. Unhöflichkeit ist nicht mehr in meinem Charakter verankert.
Der Prüfer sitzt hinten im Fond, der Lehrer auf dem Beifahrersitz und ich, ich mache mal einen Spass und setze mich hinter den Fahrersitz, neben den Prüfer.

Nach einer Sekunde der verdutzten, dummen Blicke, bemerke ich, das ich wohl falsch bin und steige vorne ein. Dies mache ich, indem ich aussteige und nicht, wie mein Sohn, über die Mittelkonsole, obwohl ich da wirklich Lust drauf habe.

Warum ich mich so blöde und unkontrolliert verhalte? Ich habe Angst, große, sehr große Angst, vor dem Versagen. Meine Angst kompensiere ich mit Blödsinn. Da kommen mir Sachen in den Kopf, von denen ich nie für möglich gehalten habe, dass sie da drin sind.

Der Prüfer muss sich ein Lachen verkneifen, der Lehrer hat eine rote Bombe. Ich frage in die Runde, so als wenn nichts gewesen wäre: „Möchte jemand ein Bonbon?".

Ich habe für solche Fälle, immer Pfefferminzbonbons mit Schokoladenfüllung oder Nimm2 dabei.

Der Prüfer stellt sich vor, ich stelle mich vor und dann stelle ich den Fahrlehrer vor. Der Prüfer muss wieder lachen: „Wenn sie so fahren wie sie scherzen, dann steht dem Führerschein nichts mehr im Weg." Ich frage: „Ok, hab ich dann jetzt bestanden?", worauf hin der Prüfer stutze und fragt: „ War das jetzt ein Scherz?"
Ich erwidere, furz trocken. „Ich mache keine Scherze." Daraufhin muss der Prüfer wieder lachen und der Lehrer schmunzelt mit. Nachdem wir uns alle miteinander bekannt gemacht haben, sagt der Prüfer, dass wir jetzt los legen.

Ich schnalle mich an und frage den Fahrlehrer, ob ich noch eine technische Prüfung des Fahrzeugs machen soll, woraufhin der Prüfer schnell dazwischen grätscht: „Sehr vorbildlich, aber nein, dies ist nicht die erste Prüfung heute, der Wagen ist sicher."

Ich starte den Kia und warte auf Anweisungen. Der Prüfer sagt: „Runter vom Parkplatz und dann rechts......

Was soll ich sagen, ich habe bestanden, absolviere Einbahnstraßen, Vorfahrtachten, Autobahnen, Parken, Vollbremsung, alles was mir aufgetragen wird habe ich brav ausgeführt und darauf geachtet, was mir der Fahrlehrer kurz vorher noch am Telefon eingetrichtert hat. Schulterblick, Blinken usw.

Nach einer Stunde Prüfungsfahrt, kommen wir wieder auf dem Parkplatz zum Stehen. Ich steige aus und schnorre den Prüfer um eine Kippe an. Nach ein paar warmen Worten von Lehrer und Prüfer über Geschwindigkeitsbegrenzungen und dass ich in der Tendenz zu schnell fahre, wenn auch nicht viel, knallt die Zigarette so dermaßen in mein Hirn, das ich ihren Worten nur bedingt folgen kann und halte mich an der Dachreling fest.

Dann will der Prüfer meinen Ausweis sehen. Hä, das kontrolliert man doch vorher, aber egal, ich bin es ja, der bestanden hat, und das ist ein großartiges Gefühl.
Leider drückt mir der Prüfer nur die Bestätigung in die Hand, das ich bei der Prüfung keinen Scheiss gebaut habe und sagt mir, das ich den Führerschein beim Strassenverkehrsamt abholen muss. Ich bezahle noch die Gebühren beim Lehrer und mache klar, das ich noch die Motorradprüfung machen muss. Dies hat ja noch Zeit, es ist ja Winter, denn die theoretische Prüfung ist ein Jahr lang gültig.
Ich rufe meinen Vater an, er soll mich doch bitte zum Straßenverkehrsamt bringen. Ich kann dort meinen

Führerschein abholen. Mein Vater sagte, klar, machen wir. Ich habe ihm nicht gesagt, dass ich seit Jahren keinen Lappen mehr habe, ich habe wohl etwas geschwindelt.

Der Führerschein in meinen Händen

Komisch, das man auch mit 47 immer noch Schiss hat sich vor seinem Vater zu blamieren. Egal, denn das war Vergangenheit und jetzt ist Gegenwart. In der Gegenwart, warte ich auf meinen Vater der mit 30 km/h über Deutschlands Straßen rast um mich zum Straßenverkehrsamt zu bringen. Es ist mir schnurz. Das Einzige, dass ich möchte, ist meine Lizenz zum Fahren. Ich achte allerdings darauf das wir die 4 Kilometer innerhalb von 2 Stunden schaffen, denn sonst schliesst das Amt und ich würde weinen.

Wir kommen dann doch schneller an als ich denke und steige mit den Worten aus dem Auto: „Kann was dauern." Mein Vater ganz Fuchs, hält mir sein E-Book vors Gesicht und sagt: „Kein Problem."

Ich gehe ins Amt, melde mich an und warte auf meine Nummer, die ich vorher gezogen habe. Ich muss mich bei meiner persönlichen Betreuerin melden, quasi meiner Bewährungshelferin. Nach 20 Minuten bin ich an der Reihe und klopfe an die Türe ihres Büros. Ein „Herein" sagt mir, dass ich eintreten darf. Ich öffne die Türe und betrete das Büro. Ich weiss nicht was ich mir vorgestellt habe, aber bestimmt nicht eine nette, zierliche, sympathische Frau die mich freudig begrüsst und mir einen Stuhl und Kekse anbietet. Ich habe wohl mit allem gerechnet, besonders nach dem Telefonat aufgrund der Führerscheinprüfung, aber nicht mit einem so netten Empfang. Sie ist sehr interessiert an mir. Wie ich mich fühle und wie toll sie das findet, das ich mich so geändert habe. Sie schlägt dann meine Verkehrsakte auf. Als ich sehe wie dick die Akte ist, fallen mir fast die Augen aus der Rübe.

Diese Akte ist meine Verkehrsgeschichte und diese Frau, mit der ich gerade hier sitze, weiß alles über mich. Ich bekomme einen roten Kopf, das ist dann doch peinlich.

Meine Bewährungshelferin sagt mir, das ich erst noch einen vorläufigen Führerschein bekomme da der Motorrad-führerschein ja noch aussteht. Ich stimme zu. Nach zehn Minuten und gegen die Zahlung von sieben Euro bekomme ich meinen Führerschein von der netten Frau überreicht.

Yeah. Ich bin sprachlos und mir kommen die Tränen. Ich bin am Ziel. Ich habe es geschafft. Wow.

Ich steige wieder in`s Auto meines Vaters. Der fragt mich: „Alles ok?" Ich antwortete: „Alles genau richtig."

Er fährt mich, im Schneckentempo, nach Hause. Dort steht seit einiger Zeit mein Volvo ungenutzt rum. Der Volvo, den ich vor ungefähr 19 Monaten, zum letzten Mal gefahren habe. Die Kinder haben sich ja schon so ihre Gedanken gemacht, warum ich nicht mehr Auto fahre. Ich habe ja geschwindelt, dass ich nach dem Unfall nicht mehr so gerne fahre. Aber das ist jetzt vorbei. Ich darf wieder fahren und werde sie heute als Überraschung von der Schule abholen. Auch wenn der Fußweg kürzer ist als die Fahrt mit dem Auto. Ich öffne also die Fahrertüre und will einsteigen. Das macht man ja so, das man zuerst das rechte Bein in den Fußraum stellt und dann den Körper seitlich nachzieht.

Mir ist wohl in der Aufregung entgangen, das der Fahrersitz auf die Position und Distanz zum Lenkrad so eingestellt ist, wie meine Frau es braucht, um sicher hinter dem Steuer zu sitzen. Als ich mich mit Schwung hinter das Lenkrad setzte, klemmte ich plötzlich wie in einer Schraubzwinge zwischen Lenkrad und Lehne des Sitzes. Meine Beine sind ebenfalls merkwürdig verdreht. Ich sitze in der Klemme. Im wahrsten Sinne des Wortes.

Zum Glück kann ich irgendwie meine Hand zwischen meine Beine bringen, um an dem Bügel des Sitzes zu ziehen um diesen dann nach hinten zu schieben.

Ich muss lachen, sehr sogar. Das Bild, wie ich da so drin steckte, war bestimmt super, leider konnte ich kein Selfie machen.

Nach dem Fehlstart, starte ich den Motor. Es ist wie das Öffnen eines Tores zu einer neuen Welt. Ich lege den ersten Gang ein und lasse die Kupplung kommen. Was für ein tolles Gefühl!

Zuerst fahre ich langsam und sehr vorsichtig. Wenn man ein neues Verständnis für seine Umwelt bekommt, überträgt sich dieses automatisch im eigenen Verhalten. Ich halte immer sehr viel Abstand zum Vorausfahrenden und scanne die Verkehrssituation weit im Voraus.

Als eine alte Dame versucht, ihren 5er BMW rückwärts in eine Parklücke, so groß, dass ein LKW Platz darin findet, zu bugsieren und dies auch nach dem fünften Mal Vor und Zurück rangieren nicht klappt, bleibe ich ganz entspannt. Die Dame kämpft mit ihrem Auto und ist sehr verzweifelt. Ich steige aus um ihr anzudeuten, dass ich gerne helfen möchte. Die alte Dame lässt das elektrische Fenster runter und fragte relativ forsch: „Was ist denn Jungchen, noch nie jemanden beim Parken gesehen?". Da war ich dann doch etwas verdutzt und sage: „Das sieht eher wie rangieren aus. Ich kann den Wagen gerne für sie parken.". Sie sieht mich entgeistert an und fährt das Fenster wieder hoch. Dabei schüttelt sie mit dem Kopf und macht mir mit einer Geste klar, dass ich mich verpissen soll. Ich gehe zurück zu meinem Auto und frage mich, was ich falsch gemacht habe. Der Motor des BMW von der Oma heult auf und der Wagen schiesst davon. Hinter mir hat sich, mittlerweile, eine kleine Schlange von Fahrzeugen gebildet, die ungeduldig darauf warten, das es weiter geht. Als ich mich in mein Auto setze, fängt der erste an zu Hupen. Ich merke das auf mich keiner gewartet hat.

Nach diesem Erlebnis fahre ich zu meinem Vater. Er ist gerade damit beschäftigt, meine immer kranker werdende Mutter, zu bekochen. Als ich in den Topf mit kochendem Wasser, Nudeln und Gemüse schaue, frage ich ihn, was denn das für ein Gericht werden soll und er befindet entgeistert: „Sieht man doch, Gemüsesuppe mit Nudeln." Ich übernehme dann unter Protest meines Vaters die Zubereitung des Mittagessens. Kochen habe ich von meiner Mutter gelernt, die mich dankbar ansieht, als ich anfange Kohlrabi mit Kartoffeln und Bratwurst zu zubereiten.

Es ist eine unglaubliche Fügung, dass ich meinen Führerschein wiederbekommen habe und flexibel bin. Meine Eltern brauchen mich. Meine Mutter aufgrund meiner immer guten Laune und mein Vater, damit ich ihn, bei der immer intensiver werden Pflege meiner Mutter, unterstützen kann. Um 16 Uhr fahre ich zur Schule meiner Kinder. Da sie in einer Ganztagsschule ihren Dienst verrichten, kann ich die beiden gleichzeitig von der Schule abholen. Sie sind die letzten anderthalb Jahre, mit dem Fahrrad abgeholt worden. Heute das erste Mal wieder mit dem Auto. Ich will ihre großen Augen sehen, wenn sie einfach nur ins Auto steigen müssen, um nach Hause gefahren zu werden.

Ich muss dazu sagen, dass wir auf dem Fahrrad zu dritt, also meine Tochter mit Tornister auf dem Gepäckträger und mein Sohn mit Tornister auf der Mittelstange, ich auf dem Sattel, manchmal noch den Hund an der Leine in einer sehr bergischen Umgebung kein normales Bild abgegeben haben und ich nicht besonders elegant dafür sorgte, die Kids nach Hause zu bugsieren.

Als ich beide Kids „eingefangen" habe, gehen wir gemeinsam auf unser Auto zu. Ich betätige den Funkschlüssel und öffne von weitem die Türen.

Die Kids sehen mich nur kurz an und meine Tochter sagt: „Cool, Du fährst ja wieder." Ich sage: „Ja, ab heute hole ich euch wieder mit dem Auto ab."

Das einzige was mein Sohn sagt ist: „Na endlich, mit drei Leuten auf dem Fahrrad war scheisse."

Mit so viel Enthusiasmus habe ich nicht gerechnet. Aber wieso auch. Ich habe die Kids die ganze Zeit angeschwindelt und ihnen erzählt, dass ich mich selbst dazu entschieden habe nicht mehr zu fahren. Da brauche ich mich auch nicht zu wundern, wenn ich keinen Zwischenapplaus bekomme.

Ich lasse mich davon nicht unterkriegen und bleibe bei meiner guten Laune. Allerdings habe ich vergessen meiner Frau eine SMS zu schicken. Genau in dem Augenblick als ich mit dem Wagen anfahre kommt per SMS die einfache Aufforderung einer Antwort mit der einfachen Frage „Hallo?".

Da ich gerade rolle, kann ich nicht an das Telefon gehen und antworten. Ich will nicht direkt wieder eine Strassenverkehrsordnung verletzten. So muss ich es ertragen, das meine Frau, in den nächsten sieben Minuten bis zu meinem zu Hause noch weitere Hallo Hallo Hallo Hallo... absendet.

Das ist wohl ein Stresstest und ich habe ihn bestanden. Als wir endlich zu Hause ankommen habe ich kein Netz und weitere Hallos blieben aus.

Ich rufe vom Festnetz meine Frau an und verkünde die frohe Botschaft. Sie schnauzt mich an, warum ich mich nicht gemeldet habe. Ich erzähle ihr von meiner Mutter und meinem Vater, Essen kochen und so weiter. Sie versteht und ist trotzdem noch etwas beleidigt.

Das gehört bei uns zum guten Ton und schärft die Sinne für die tägliche Arbeit in unserer Beziehung.

Ich spüre, wie schnell ich mich wieder als vollständiger Mann fühle und möchte am nächsten Morgen schon wieder zu meinem Eltern.

Sie brauchen meine Hilfe und ich kann sie ihnen geben. Ich weiß nicht, ob das so einfach gewesen wäre wenn ich nicht diese Metamorphose durchgemacht hätte. Aber nach dieser Veränderung fühle ich mich unheimlich stark und bewusst.

Das ist auch nötig, denn wenn ich gewusst hätte, dass ich ein halbes Jahr mit meinem Vater zusammen, meine Mutter bis zu ihrem Tod pflegen würde, ich hätte nicht geglaubt, dass dies möglich gewesen wäre.

Ende

Danksagung

Es ist kaum zu beschreiben wie schwer es ist sein erstes Buch zu schreiben. Aus diesem Grund braucht man ein Umfeld das dies einem ermöglicht.

Ich bedanke mich besonders bei meiner Frau Julia, ohne die dieses Projekt nicht möglich gewesen wäre. Sie gibt mir den nötigen Rückhalt und ist meine größte Kritikerin und in schwachen Phasen mein tritt in den Allerwertesten. Ich freue mich also schon auf meine nächsten Projekte.

Wilfried Lückert, ich weiß das es nicht einfach ist mit mir als Schwiegersohn. Als Lektor hast Du mich wirklich sehr unterstützt. Deine Anregungen und auch Dein Verständnis für das geschriebene Wort sind Gold Wert. Danke für Deine große Unterstützung.

Renate Lückert, danke für deine ausführlichen Korrekturen.

Sabine zur Nedden. Du hast während meiner „Metamorphose" über mich gewacht und mir gezeigt, dass es noch mehr gibt, da draussen.

Kai Lasarzick, du hast das Buch als erster Aussenstehender gelesen.Dein Feedback hat mir viel Kraft gegeben. Dieses Buch hat sich schon gelohnt, nur damit Du es lesen konntest.

Ich dank an meine gesamte Familie, für die Liebe die sie mir gibt.

Der Autor

Oliver Höhn arbeitete im Laufe seines bisherigen Lebens in diversen geschäftsführenden Positionen der Medienbranche. Seit einer Zeit der Veränderung ist er als Realisator und Schauspielcoach für Scripted-Reality-Formate für mehrere Produktionsfirmen tätig. Während einer Auszeit aus der TV-Welt schrieb der in Haan lebende Vater von Zwillingen sein selbstkritisches Erstlingswerk „Auf die Fresse! Fertig! Los! Neben seiner Autorentätigkeit entwickelt Oliver Höhn TV-Formate und schreibt Drehbücher.

http://xing.com/oliver_hoehn